朝日新書
Asahi Shinsho 869

永続孤独社会

分断か、つながりか？

三浦　展

朝日新聞出版

はじめに——第五の消費社会を予測するために

私は2012年に『第四の消費　つながりを生み出す社会へ』を上梓し、よく売れた。特に今の33～48歳くらいの世代に強い共感と愛着を持って読んでもらったようで、学生時代に読んだが最近また読み返していますなどと言われることもたびたびあり、著者としては大変うれしい。

同書は単に理論的な本として読まれたというだけでなく、多くの若い世代が新しい行動に一歩踏み出す、あるいは行動を加速させることに影響を与えたようだ。私としては彼らの行動を取材して、その背景を分析する本を書いたのだが、その本がまた彼らの周辺にフィードバックされて、さらに彼らの行動を促進し、拡大させるという循環が生まれたようなのである。

『第四の消費』は主として「所有からシェアへ」の変化をまとめたわけだが、その前の11

年に私は『これからの日本のために「シェア」の話をしよう』を書き、さらにその前年には建築家の隈研吾さんに対談を申し込み、『三低主義』という本を出していた。「三低」とは、消費も生活も建築も、コストや環境負荷や値段を低くしつつも豊かに暮らすことがこれからの価値だという意味であり、そこではシェアやレンタルこそが重要になるといった主張をしたのである。

実は隈さんとは2002年にも「シェア」をテーマに座談会をしたことがある。博報堂研究開発局の研究を手伝った私は、次代の消費のテーマとして「脱・私有」を掲げ、私有よりもレンタルやシェアやコミュニティを重視する時代が来ると予測し、京都市でのカーシェアの実験を取材した。隈さんは当時、私的財産としての建築というものへの批判をしていたし、コーポラティブハウスの設計などにも関わっていたからである。単なる「私」でも「公」でもないシェア的なものを理解してくれると思った。

その後次第にシェアやレンタルやコミュニティやエコロジーが重視されるようになり、リノベーションが盛んになった。商店街の空き店舗や住宅地の空き家を利用して地域の居場所をつくる人もどんどん増えた。

そうした活動の実例を私は数年間取材し、何冊かの本で紹介してきた。高齢化した東京郊外で空き家を100万円で買い、自分でリノベーションをして週3日だけ働く女性、赤ちゃんのいる夫婦を含めた7人が一緒に暮らすシェアハウス、会員制のコミュニティキッチンなど、お金に縛られず人とつながる生き方を実践する人々の暮らしを私は紹介した（資料編参照）。それくらい時代は変わった。昔風の大きな会社の人々の頭の中が、バブルの復活を求めて浦島太郎になり、新機軸を打ち出せないでいる間に大きな変化があったのだ。それが平成という時代であった。

また『第四の消費』は2014年に中国で翻訳出版されたが、2017年頃から売れ行きが急増した。原因は中国商工会議所会頭が薦めたかららしい（会頭といっても40代前半である。上海で私もお会いした）。そういうわけで同書は中国でベストセラーとなり、私は中国人ビジネスパーソンに向けての講演会を2017年秋からコロナ直前の2019年末までの2年間に30回ほど頼まれた。現地にも3度行き、講演をした。コロナ後は数回、ネット中継などを含めて行った。中にはインターネット関連の大企業向けのものも含まれる。

実際のところ、『第四の消費』の内容が中国で十分に理解されているとは私には思えないが、日本のほうが理解が進んでいるとはまったく思えない。日本で第四の消費についての講演を頼まれたのは流通系企業団体など3、4回ほどにすぎない。中国のほうが熱心だ。中国でもネット通販が急速に成長し、小売業の実店舗が売れなくなっている現状で、新しい消費の動きを知りたいというニーズが急拡大したのだと思う。さらにコロナ後は、中国の経済成長も鈍化したので、次の消費について考えたいというニーズがますます拡大しているようだ。

それに対して日本は、大きな視野で次の消費、次の時代の日本人がどんな豊かさを求めて、どんな生活をするかを考える企業が少ない。DXだSDGsだパーパスだという課題に追われてばかりで、自分から時代を創り出すために物を考えるという態度が皆無である。貧すれば鈍すとはこういうことか。目の前のコストを下げることに汲々としているので、DXについても、新しい儲かるビジネスを生み出すというより、あるいは消費者のメリットを増やすより、企業側のコストカットの手段としてしか見られていないように思える。

実際ドラッグストアなどでアプリをインストールしろと言われるが、アプリにしたからと言って特に消費者は得をしない。アプリを使った後の支払いは別のカードかアプリである。かつ店のアプリの他にポンタカードのポイントも付けますと言われたりして、ますます面倒である。これがデジタル化なのだとしたら、馬鹿げている。現金で支払って紙のポイントカードにはんこを押してもらう方がよほど時間がかからない。

日本のおばか加減と比べると中国はスピーディーである。デジタル決済はとっくに広まり、一方で北京や上海では日本と同じような第四の消費的な状況が生まれている。単にショッピングセンターに集まって物を買うのが楽しいという雰囲気は少なくとも上海の都心部からは感じられない。むしろ日本と同様、横丁的な場所が人気だったり、無印良品が人気だったり、シェアサイクルが日本よりはるかに急激に普及したりと、シンプル、シェア、レトロかつデジタルを軸とした生活が日常化しているようにも感じられた。

また、一人っ子政策が続いた中国は近い将来に急速な高齢化が予測される。２０４５年には今の日本と同じように人口の25％が65歳以上になるという。そのときには、物質的な豊かさだけを追求する価値観ではない新しいシェア的な価値観が中国にも広がるだろう。『第四の消費』が売れるのは、中国でもそうしたことを予見している人も多いからだろうと思っている。今は強欲資本主義のようにすら見える中国だが、孔子と老子と荘子の国なのだから、いずれ枯れた感じの生活様式も現れてくるだろう。

第四の消費の時代を２００５年から２０３４年と私は定義したので、すでに折り返し点を過ぎた。その意味で今は第四の消費がほぼ定着した時代だと言える。だがこれからはどうなるのかが気になる。

私は2002年に『団塊ジュニア1400万人がコア市場になる！』というビジネス書を出していたが、本書は同書の内容も踏まえている。同書は一部のビジネスパーソンの間では非常に支持され、今でもネット古本市場では人気があり、同書をネタにしてYouTubeで解説をしてくれている人までいる。実は同書こそが第四の消費の基盤となる現状認識・将来予測の本だったのである。

2022年の現在、第五の消費社会の萌芽が少し見えてきてもおかしくない。そこにちょうど新型コロナの流行があった。消費にも大きな影響を与えている。コロナが第五の消費社会を生み出す契機となるかどうかは、まだわからないが、少なからぬ影響を与えそうである。

このような経緯を踏まえ、本書は『第四の消費』の概要を第1章で説明し、第2章では『第四の消費』の結論部分を現状を踏まえて考え直し、大幅に書き足し、第3章ではこの5年ほどの間に強まってきた、そしてコロナ禍でさらに強まったと思われる「孤独」「格差」「分断」について考えた。『第四の消費』のサブタイトルは「つながりを生み出す社会へ」であるが、この5年は、「つながりが切れる社会」「つながりを恐れる社会」という側面も強まったように思えるからである。

だが私としては現代的な意味で必要なつながりを模索するべきだという立場であり、その点については新たにアンケート調査を行った結果を第4章で分析した。また資料編には、第四の消費の実例集というべき取材レポートを載せている。これらのレポートは既に別の拙著で紹介したものであるが、そこにコロナ後の変化などを取材先の人たちの協力を得て書き足した。すでに拙著を読んだ方には重複感があるかもしれないが、本書一冊で「第四の消費社会」の10年間が理解できるように編集したかったので、その点はご容赦願いたい。

とはいえ、『第四の消費』での「第三の消費」に関する記述は大幅に割愛したし、消費社会一六〇年史という膨大な年表、また辻井喬（堤清二）氏への重要なインタビューも割愛したので、それらもお読みになりたい方は『第四の消費』を読んで頂きたい。

永続孤独社会　分断か、つながりか？

目次

懐かしい未来

市場調査とは、人々が今何を求めているかを発見する方法というよりは、人々に自由な想像力を与えてあげれば彼らが求めるであろう何かを発見するための方法である。具体的なモデルを示してあげないと、人々は想像力の世界に飛び込むことはほとんどできないものなのだ。

デイヴィッド・リースマン『孤独な群衆』

第1章

概説：消費社会の四段階

本章ではそもそも「第四の消費」とは何かを知らないという読者のために、『第四の消費』からエッセンスを抜粋して解説する。

本書の対象とする消費社会は、日本の産業革命後に限定する。つまり、主として第一次産業の産品や手工業品を消費する社会ではなく、近代以降、技術革新によって生産力を向上させた工業が、その生み出す商品を消費する消費者を大量に必要とするようになってからの消費社会である。

なお、消費社会の発展段階は国によって違うので、この理論は他国には原則として当てはまらないが、何らかの参照にはなるだろう。

第四の消費社会になると第三の消費社会が消えるわけではない。現状の日本では第一から第四の消費社会までの性格が重層化しながら存在していると言える（図表1－1－1）。

また世代差もあり、若い人ほど第四の消費的であり、60代前後は第三の消費的であり、80代だと第二の消費社会的であると言える。

さらに近年は、第四の消費的な性格も成長が弱まり、定常化し、場合によっては縮小しているように思われる（2－5）。それに代わる第五の消費的なものが何なのかはまだわからないが、最新のＩＴ技術に裏打ちされたメタバース的なものが第五の消費的なものになるのかもしれない（3－4）。

1-1　第一の消費社会（1912～1937年）

『第四の消費』では第一の消費社会を1912年から真珠湾攻撃・日米開戦までの41年までと規定したが、その後現代史のなかの消費の歴史を学び直すと、1936年には2・26事件があり、37年には日中戦争が始まって、軍国主義の強化、贅沢禁止的な風潮がはっきりしてきており、消費社会の歴史としては37年までとしたほうがよいと考え直した。東京では一大娯楽施設・江東楽天地が37年に開業しているが、それ以降は消費社会的な動きはない。

なお第一の消費社会の始まりの1912年は必ずしも変えることはない。1912年は大正元年ということもあるし、30年周期にこだわる必要はない。後述するように「第三の消費社会」も30年経たずに終わるという修正をした。

図表1-1-1　現代では第一の消費から第五の消費までが重なり合っている

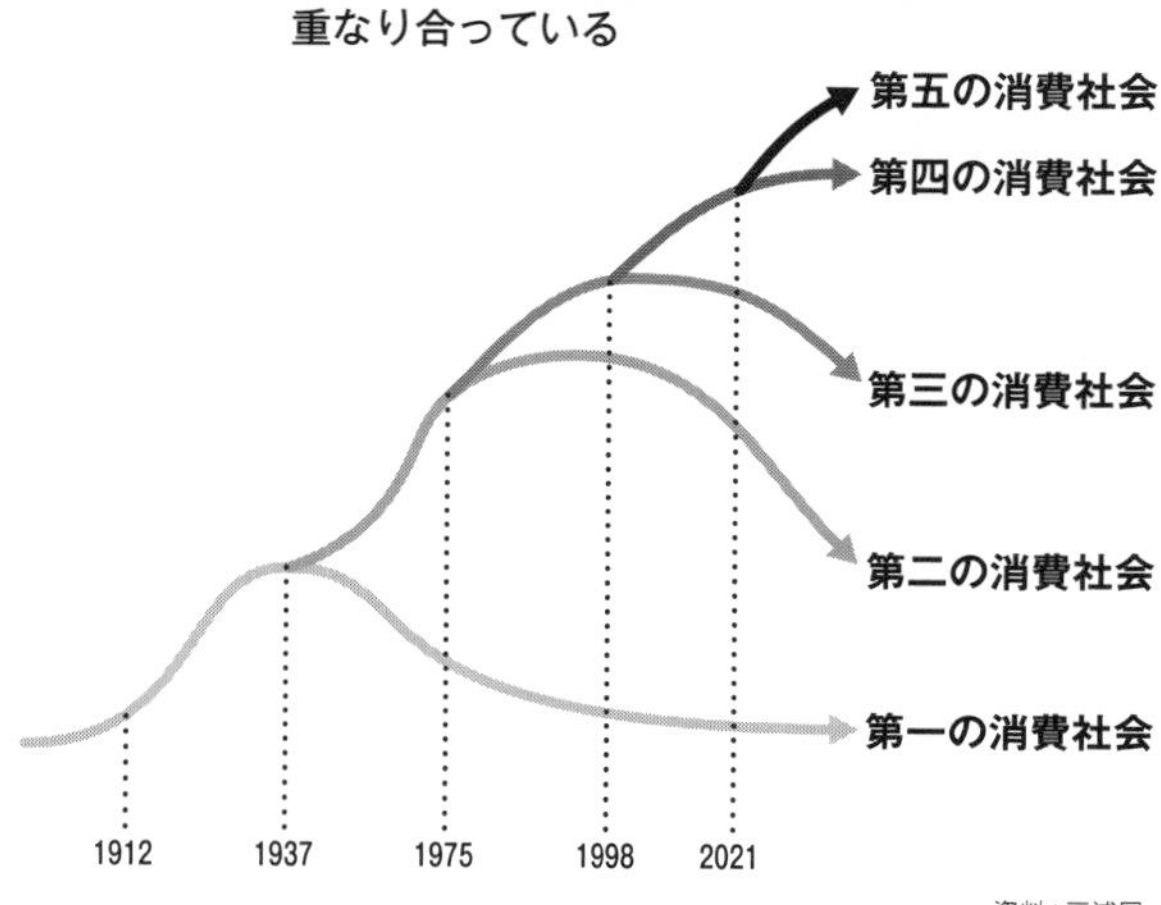

資料：三浦展

都市人口の増加

日本における近代的な意味での消費社会は、20世紀初頭から始まったと言える。日清、日露戦争に勝ち、第一次世界大戦の戦時需要で日本は好景気に沸いた。しかし強烈なインフレにより一般労働者の実質賃金は下がり、米騒動が起こるなど、貧富の格差が拡大していた。さらに1920年になると綿糸、生糸の暴落に始まる恐慌が起こる。だが、大資本は力を強化し、「成金」が増えた。

また、大都市の人口が増加したために、大都市部では大衆消費社会が誕生することになる。同時に、後述するように郊外住宅地の発達も始まり現代につながる中流家庭、中流社会が誕生した。これが第一の消費社会である。

第一の消費社会は、かなり東京、大阪などの大都市に限定されて展開したと言える。実際、全国の人口は1920年には5596万人、東京都は370万人で、東京都の割合は6・6%だったが、10年後の30年には全国は6445万人、東京都は541万人で8・4%、40年には全国7193万人、東京都736万人で10・2%と、全国の1割を超えた。

大阪府も、1920年には259万人だが30年には354万人、40年には479万人と増加している。第一の消費社会は人口の都市集中とともに成立したのである（29頁参照）。

モダン文化の興隆

大都市の繁華街には、モボ、モガ、つまりモダンボーイ、モダンガールと呼ばれる最新の流行に身を包んだ若者が闊歩するようになった。「モダン」であることが進歩であり、文化的であり、衣食住のすべてについて、モダンで文化的であることがよしとされた。洋食がブームとなり、「カレーライス・とんかつ・コロッケ」が大正の三大洋食と呼ばれた。

また、1920年代はアメリカではラジオデイズと呼ばれるが、日本でも1925年

（大正14）に東京、大阪、名古屋でラジオ放送が始まっている。マスメディアというものが大衆をつくり出す時代の始まりでもあった。

大正時代は欧米の影響を受けて、家族重視、子ども重視の思想が台頭した時代でもある。核家族の専業主婦が新しい存在として誕生し、彼女たち向けに『主婦之友』が1917年に創刊。その後部数をぐんぐん伸ばして100万部を超え、1934年の新年号（33年12月発売）では、「十五大付録」が付く巨大雑誌となり、43年には最高発行部数163万部を記録した。

1913年（大正2）、森永製菓がミルクキャラメルを発売、銀座・千疋屋がフルーツパーラーと名乗った。東京電気（東芝の前身）がタングステン電球の「マツダランプ」の量産化に成功したのも13年。洋服の普及に伴い、シンガーミシンが家庭用ミシンを発売したのも13年である。

近代都市計画による都心と郊外の分離

第一の消費社会は、日本に近代的な都市計画が始まった時代でもある。1919年には都市計画法が公布され、たとえば東京では都心部が商業・業務地区、東側の低地・下町が工業地区、西側の台地上が住宅地区という用途が決められた。

また第一の消費社会は、都市と郊外の両方に生活文化や娯楽文化の花開いた時代でもあり、1913年には関西で宝塚唱歌隊が設立されている。宝塚大劇場の開業は24年（大正13）。20年には大阪の梅田駅前に阪急が5階建てのビルを建て、その2階に白木屋の出張売店を設けた。これが日本初のターミナルデパートの始まりであり、阪急百貨店として開業するのは29年（昭和4）である。郊外に住み、電車で大阪の都心に通い、休日はまた電車でさらに郊外の娯楽施設に遊びに行くというスタイルが確立された。

関東大震災のあった1923年は、丸ビルができた年であり、日比谷にフランク・ロイド・ライトが設計した帝国ホテル新館が落成、田園調布の分譲も始まっている。前年の22年には上野公園で平和記念東京博覧会が開催され、「文化住宅」と名付けられた赤瓦屋根の洋風小住宅が展示され、郊外住宅地は「文化村」と呼ばれた。都心がオフィスビル化し、郊外の住宅地開発が本格化し、都心に勤めるサラリーマンが郊外の住宅地に住むという時代が始まったのである。

また、1919年（大正8）にはカルピスが発売。21年（大正10）には森永製菓がドライミルクを、22年（大正11）には合名会社江崎商店がグリコを発売した。また22年には『週

時代区分	第一の消費社会 (1912～1937)	第二の消費社会 (1945～1974)	第三の消費社会 (1975～1997)	第四の消費社会 (1998～)
価値観	国家志向	家族志向	個人志向	社会志向 地方志向 シェア志向
小　売	百貨店	スーパー	パルコ（ファッションビル） コンビニ	ショッピングモール アマゾン
都　市 住まい	丸ビル 帝国ホテル 田園調布	団地 郊外一戸建て	ワンルームマンション 地価高騰で郊外が極限まで拡大	シェアハウス 中古住宅リノベーション 地方移住
社会問題	貧困	公害・交通事故	地価高騰	ひきこもり ニート 孤独死 格差 シングルマザー 拡大自殺

資料：三浦展作成

消費社会の変化を30年周期で見てみる

図表1-1-2 消費社会の時代区分(『第四の消費』掲載の表を修正)

時代区分	第一の消費社会(1912〜1937)	第二の消費社会(1945〜1974)	第三の消費社会(1975〜1997)	第四の消費社会(1998〜)
担い手の世代	明治・大正生まれ	昭和戦前生まれ	団塊世代・バブル世代	団塊ジュニア世代 1970年代生まれ
社会背景	日露戦争後から日中戦争開戦まで	敗戦、復興、高度成長からオイルショックまで	オイルショックから低成長、バブル、金融破綻(山一證券) オウム事件 阪神淡路大震災	金融破綻 リーマンショック(派遣切り) 東日本大震災 コロナ
人口	自然増 総人口4000万人から7000万人 核家族化開始	自然増 総人口7200万人から1.1億人に 核家族化拡大 専業主婦急増	自然増の縮小 少子高齢化の始まり 総人口1.1億人から1億2600万人 未婚率高まる	自然減加速し生産年齢人口・総人口減少 離婚率上昇 単身世帯が世帯類型で最多となる
メディア・通信・交通	ラジオ　映画 新聞	テレビ　電話 自動車 高速道路 新幹線	パソコン	iモード スマホ
雑誌	主婦之友	週刊誌 週刊少年漫画誌	カタログ雑誌(ポパイ、ノンノ、JJなど)	クウネル リンカラン アルネ リラックス
消費	洋風化 欧米志向 文化生活 モダン	平等化 大量生産大量消費 アメリカ志向 マイカー・マイホーム・三種の神器・3C	差別化・高級化 多品種少量生産 量から質へ ワンランクアップ ブランド志向	シンプル志向 リアル志向 低価格志向 嫌消費

刊朝日』『サンデー毎日』が創刊。『文藝春秋』『アサヒグラフ』の創刊は23年（大正12）である。ラジオと並んで雑誌というマスメディアが誕生した。資生堂チェインストア制度が始まったのも、寿屋（現・サントリー）が国産初のウィスキーを製造したのも、現在のS&Bカレーの前身である孔雀印カレーが発売されたのも、接着剤のセメダインが発売されたのも、菊池製作所（現・タイガー魔法瓶）が虎のマークの魔法瓶を発売したのも1923年だ。

その1923年9月1日に関東大震災が起こり、東京は下町を中心に壊滅したが、そのことがかえって東京をより速くモダンな都市へと変貌させていったのである。

昭和に入ると、1928年（昭和3）には白木屋が五反田駅前にターミナルデパートを開業。その後、渋谷、新宿などのターミナル駅に多くの百貨店が開業した。新宿の三越は29年、伊勢丹は33年（昭和8）、浅草の松屋は31年（昭和6）、渋谷の東急東横店は34年（昭和9）に開業している。1935年（昭和10）には日本橋三越の増改築改修工事が完成。またすでに32年（昭和7）には地下鉄の三越前駅が開業していた。32年は今の東京23区に当たる東京市35区制度が成立した年である。災害に強い鉄筋コンクリート造りのアパートの建設も始まった。同潤会アパートはその典型である。

第一から第五の消費社会は
人口構造の変化とも対応している

図表1-1-3　出生数、死亡数、自然増減（出生－死亡）の
実績（～2019）と推計（2020～）

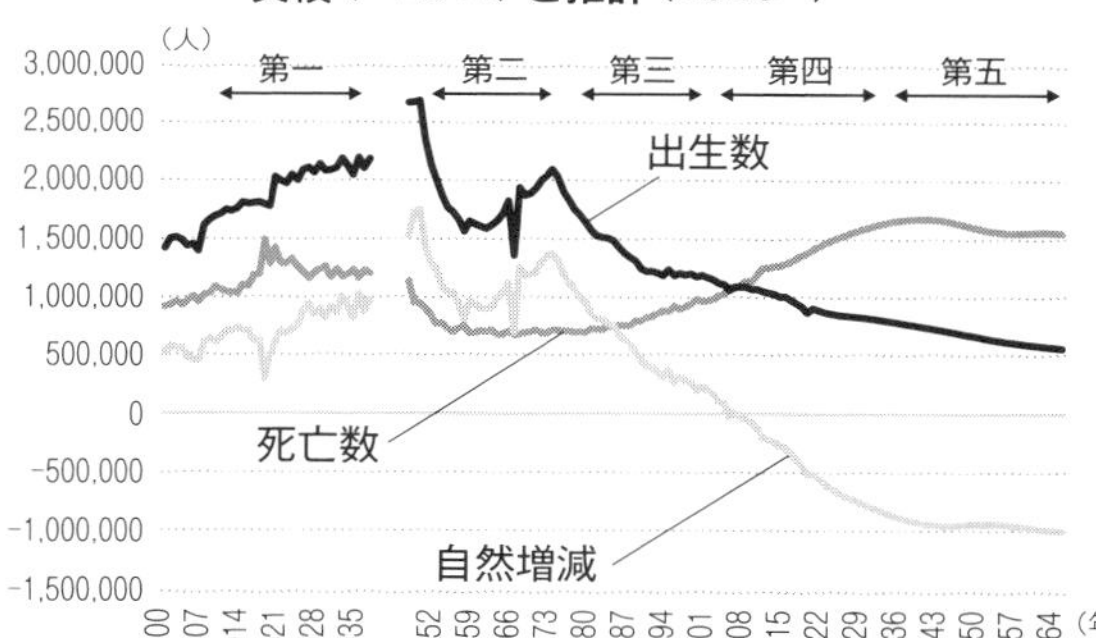

国立社会保障・人口問題研究所

注）人口との関連
第一から第四の消費社会への変化は人口構造の変化とも関連している。

第一の消費社会は人口が増えたために死亡が増えたが、出生のほうがもっと増加した時代である。

第二の消費社会も戦後の一時期を過ぎて高度経済成長期になると、死亡が増え、出生のほうがもっと増えた結果、自然増もした時代である。

第三の消費社会は出生数が減り始め、死亡数は微増して、自然減に向かっていく時代である。

第四の消費社会は出生数が減り続け、死亡数が着実に増えて、自然減となった時代である。

第五の消費社会があるとすれば、死亡数は横ばいに向かうが出生数は減り続け、人口減少が進む時代である。

このように、第一の消費社会は、大都市を中心として中流階級が消費と娯楽を楽しむ時代が始まった。そこで、現在のわれわれの生活の原型というべきものができあがったのである。

1−2 第二の消費社会（1945〜1974年）

55年体制

第二の消費社会は、敗戦後の日本の奇跡の復興と高度経済成長の時代における消費社会のことであるから、あまり詳しい説明は不要であろう。

1955年には、自由党と日本民主党の二大保守党が保守合同し、自由主義体制が確立され、同年、日本生産性本部、日本住宅公団が設立、56年、日本道路公団が設立されるなど、日本は本格的に、マイホーム、マイカーに象徴されるアメリカ型の大量生産大量消費社会を追い求めることになる。すでに1950年には兵庫県の西宮球場を会場として、

「アメリカ博覧会」という博覧会が開催され、１９５３年からテレビ放送が始まり、アメリカのホームドラマが放映されるなど、日本人のアメリカン・ウェイ・オブ・ライフへの憧れが掻き立てられていた。

さらに１９５０年代後半から高度経済成長という「大きな物語」と消費とが密接に結びつけられ、「三種の神器」「３Ｃ」「マイホーム」「マイカー」「ホワイトカラー」「団地族」「レジャー時代」などの新しい生活のイメージが次々と生み出されて、人々を消費へと駆り立てた。「消費は美徳」「大きいことはいいことだ」という言葉に象徴されるように、より多く消費をすることが国民、会社人、さらには家庭人としてのアイデンティティ形成にもつながっていった（拙著『「家族」と「幸福」の戦後史』〔１９９９〕参照）。

１９６０年には所得倍増計画が発表され、64年には東京オリンピック、68年にはアメリカに次ぐＧＤＰを誇る経済大国となり、「昭和元禄」という言葉が広まる。そして70年には大阪万博、72年には札幌冬季五輪が成功裡に終わった。しかし73年10月にオイルショックが起こり、高度経済成長は終わりを告げた。

三種の神器、3C、マイカー時代

第二の消費社会は、家電製品に代表される大量生産品の全国への普及拡大が最大の特徴だった。第一の消費社会にも、先に見たように大量生産品の普及の萌芽があったが、まだ高価な商品が多く、その消費を享受するのは都市部の中流階級以上に限られており、他の多くの国民は貧困にあえいでいた。いわば「消費格差」があったのだが、その矛盾を一気に解決し、全国の、より多くの国民に消費を享受する機会をもたらしたのが第二の消費社会であったと言える。

三洋電機が電気洗濯機を発売した1953年（昭和28）を、ジャーナリストの大宅壮一は「電化元年」と名づけた。昭和30年代（1955〜64年）には洗濯機、冷蔵庫、テレビという「三種の神器」が一気に普及し、さらに続いて昭和40年代には3C（カー、クーラー、カラーテレビ）が普及し始め、アメリカン・ウェイ・オブ・ライフを模倣した生活が実現していった。

トヨタカローラが発売されたのは1966年。その年はマイカー元年とも呼ばれ、自動車の普及が加速する。カローラは69年から2001年まで33年間連続で国内市場で販売台数日本一を維持し続け、累計3500万台を売る怪物商品となった。

自動車工業会ホームページによれば、1955年（昭和30）、通産省が「国民車構想」を発表。2〜4人乗り、最高時速100キロ以上等の乗用車で、1958年（昭和33）秋には生産開始できることが望ましいという意向だった。

結局この構想は立ち消えになるが、自動車メーカーには、これに近い自動車を開発しようという意欲が芽生え、人々には政府は国民に自動車を所有させるつもりがあるという、具体的なニュースとして受けとめられた。スバル360（1958年・昭和33）、三菱500、マツダR360クーペ（1960年・昭和35）等は、国民車構想を契機に開発されたと言われている。

そして1964年、マツダファミリアセダン、66年、日産サニー、トヨタカローラが発表され、ファミリーカーとしての地位を築くのである。

大きいことはいいことだ

第二の消費社会における大量生産大量消費は「少品種大量生産」であった。消費者は特に商品に個性を求めず、デザインにもあまりこだわらず、物を買ったからである。隣の家と同じような物があればそれでよかったからである。

そして物を買い替えるときは、もっと大きな物に買い替えるのが普通だった。最初に買ったクルマはスバル360、次はトヨタパブリカ、そしてカローラ、コロナ、クラウン、最後はベンツと買い替えていく。テレビも最初は14インチだが、20インチ、30インチと買い替えていく。これが第二の消費社会の典型的消費スタイルである。

もちろん経済成長の中で給料もベア20%、定期昇給でさらにアップしていた時代だから、どんどん大きな物に買い替えるのは当然のことであった。

1−3 第三の消費社会（1975〜1997年）

軽薄短小

第二の消費社会は73年のオイルショックによって終わる。それに代わる第三の消費社会の特徴は、まず消費の単位が「家族から個人へ」と変化し始めたことである。「家計から個計へ」とも言われ、個人が一人で食事をする「個食」対応の食品が百貨店の食品売り場に登場したのもこの時代だ。

ウォークマンのように、ステレオを「個人化」し、かつ移動可能にした商品も大人気となり、「軽薄短小」がヒットの秘訣だと言われた。『日経ビジネス』1982年2月8日号が「産業構造―軽・薄・短・小化の衝撃」という特集を組んだのである。

同特集によれば、日経流通新聞が例年12月に発表するヒット商品番付の81年版を見ると、パソコン、軽自動車、携帯用ヘッドホンステレオ、ミニコンポステレオなどの軽薄短小商品が並んでおり、これは消費者が、重厚長大なものをヤボ、古臭いと感じ、軽薄短小なものをシックで、ナウいと感じるようになったからだという。

少品種大量生産（大衆化）から多品種少量生産（個性化）へ

一家に1台が当たり前になって、市場が飽和しては、家電メーカーは困る。そこでメーカーが取った戦略は1人1台、1部屋1台である。テレビも、お茶の間以外に寝室にも、子ども部屋にも欲しい。クルマもお父さんのゴルフ用とお母さんの買い物用と息子のデート用を分けよう。ステレオも、応接間でクラシックを聴くためのものと、息子がロックを聴くためのミニコンポと、娘がユーミンを聴くためのラジカセは別にしよう。エアコンも1部屋1台付けよう。こういう形で、一家に2台、3台と物を増やしていくように消費者は欲望を刺激されたのである。

また腕時計は、バブル時代なら1人数個持っている人もたくさんいただろうが、70年代までは違った。1979年からセイコーは「なぜ、時計も着替えないの。」という広告を打っていた。仕事用とデート用とスポーツ用など、腕時計も複数持ちましょうという提案である。

こうして第三の消費社会になると、第二の消費社会では当たり前だった画一的な消費行動に対する違和感が次第にふくらんでくる。もっと個性的な消費をするべきではないかという考え方をする人が増えてくる。「量から質へ」とも言われる変化である。当時まだ25歳くらいだった団塊世代の中でも、先端的な人たちはそのように考えるようになったし、さらに若い世代は、団塊世代のように大量の人口が無個性な消費をすることをかっこわるいと思うようになっていた。コムデギャルソン、ワイズといったかなり個性的なファッションが1970年代後半に人気を得るようになったのもうなずける。

スーパーからコンビニへ

消費の「個人化」は、業態で言えば、コンビニエンスストアの売上げを伸ばした。第二の消費社会では家族が消費の主たる単位だから、伸びたのはスーパーマーケットの売上げである。1972年にはダイエーの売上げが三越を抜くという歴史的な事件もあった。百貨店は先に書いたように第一の消費社会の業態である。百貨店の売上げはバブル時代にピークを迎え、以来30年以上低下させている。

コンビニエンスストアは1974年のセブンイレブン豊洲店が最初と言われるが、2020年では全国に約5万7千店があり、売上高は12兆円となり、百貨店の売上高をはるかに上回っている。第二の消費社会の業態であるスーパーも、コンビニに押されて売上げを減らした。

ただし近年は、インターネットの発達、女性の就業に伴う生活時間の変化などを背景に、ネット通販の売上げが伸び、コンビニの売上げは横ばいになっていることは言うまでもない。

物からサービスへ

消費の個人化は、消費の構造を物からサービスへと変化させた。個人化した消費者は、たとえば食事をするにも、自分で物を買ってつくるのではなく、外食をするケースが増える。物の消費ではなくサービスの消費が増えるのである。

そこで成長したのが、ファミリーレストラン、ファストフード店などの外食産業である。マクドナルドが銀座三越に1号店を出したのが1971年、すかいらーくやケンタッキーフライドチキンは70年に登場し70年代後半から急成長する。外食産業の市場規模は1975年には8兆5800億円だったが、85年には19兆2770億円にまでなった。すかいらーくやマクドナルドなどの開店と同時期に発表されたカップ麺の販売数も外食産業と同じようなカーブを描いて伸びている。

しかし、外食産業の売上げは、バブル崩壊後の92年から伸びが鈍化し、97年に29兆1億円でピークとなった後は減少している。その大きな原因は「中食」と呼ばれる、調理済み食品の台頭である。外で食べるのではないが、家で料理するのでもない。調理済み食品を家や職場で食べる。あるいは街中で歩きながら、あるいは地べたに座り込んだりしながら食べるというものである。これも食事の「個人化」だと言える。

ブランド志向・高級化・カタログ文化

当時、団塊世代がほぼすべて子育て期に入ったのに代わって、独身貴族市場に進出してきたのは新人類世代（バブル世代、Ｈａｎａｋｏ世代）であった。彼らの消費の特徴はブランド志向である。女子大生ですら海外高級ブランドを持ち歩く社会となり、高級輸入自動車の売上げも伸びた。

ブランド志向の高まりとともに拡大した消費文化を、当時は「カタログ文化」と揶揄することも多かった。カタログ文化のきっかけは、１９６８年、アメリカで出版された『Whole Earth Catalog（ホール・アース・カタログ）』という本だ。スチュアート・ブランドという作家が出版したものであり、本来はカウンター・カルチャーの流れの中で、自分たちの生活に必要な物は自分たちでつくろうというメッセージを込めたもので、むしろ第四の消費的な価値観だった。アップルのスティーブ・ジョブズがこのカタログを信奉しており、かれの「ステイ・ハングリー、ステイ・フーリッシュ」はこのカタログに書かれていた言葉である。

そして『Whole Earth Catalog』を真似た本が日本で出るようになる。ＪＩＣＣ出版局

（現・宝島社）から雑誌『宝島』1975年11月号の特集「全都市カタログ」として、さらに76年4月『別冊宝島』創刊第1号「全都市カタログ」として出版されたのである。

もうひとつが『Made in U.S.A. Catalog』であり、75年6月に『週刊読売』別冊として発行された。女性誌では、『ノンノ』の別冊として74年に創刊した『セゾン・ド・ノンノ』がある。76年の第11号は、「大特集　豊かな暮らしのカタログ」「いまを生きる女のコの4つのライフカタログ」「ファッションカタログ」など、ほとんどの記事に「カタログ」というタイトルが付いている。まさにこれは日本におけるカタログ雑誌の元祖と言えるかもしれない。

このように、本来はカウンター・カルチャーであった「カタログ」という名のメディアが、日本では消費を伸ばすためのメディアとして発展していった。そして『ポパイ』『ブルータス』などが先導したカタログ雑誌は、その後、主として若者向けの物欲雑誌やブランド雑誌の定型となっていく。それはまさに「政治から消費へ」という時代の変化でもあった。

ブランド化、高級化による差別化欲求を満たそうとしたのは、ファッション業界だけではない。インスタントラーメンという、まさに第二の消費社会的な大量生産品ですら、1

981年には明星食品から「中華三昧」という「高級品」が発売された。また、ネッスル日本（現・ネスレ日本）が、高級インスタントコーヒーの新製品「ネスカフェプレジデント」の発売CMで、ベルギー王家の継承者ルドルフ殿下（現在は「ロドルフ」と表記されている）を登場させて、貴族がインスタントコーヒーを飲むのかと突っ込まれながらも話題になったこともある。インスタント食品にまで「高級化」という差別化戦略が導入されたことに、中流商品が飽和した時代がよく現れている。

また、自動車についても、1世帯当たり保有台数を増やすだけでなく、やはり高級化が進められた。その代表が、トヨタソアラ、日産シルビアなどのスペシャルティカーである。

モーレツからビューティフルへ・ディスカバー・ジャパン・のんびり行こうよ

いささか時代が前後するが、第二の消費社会から第三の消費社会への転換は、オイルショックによって突然起こったわけではない。1970年の富士ゼロックスの広告「モーレツからビューティフルへ」、同じく1970年の国鉄（JR）の広告「ディスカバー・ジャパン」のように、第三の消費社会どころか、第四の消費社会の原点であるとすら言える表現もすでに登場していた。

「ディスカバー・ジャパン」は正確には「ディスカバー・ジャパン　美しい日本と私」という広告で1970年から77年まで、7年の長きにわたった「広告史上最長不倒」（藤岡自身の言葉）のキャンペーンである。藤岡は書いている。

「見境いもなく発展をとげてきた文明の醜い姿として、私たちは公害を思い出せば十分である。（中略）しかし（中略）公害を文明の問題としてとらえるより、『こころ』の問題としてとらえる姿勢がすべての人になければならない。」（『藤岡和賀夫全仕事1　ディスカバー・ジャパン』1987）

このように第二の消費社会のもたらした物質主義への反省として、心の問題が、おそらく広告史上、大々的には初めて扱われたのである。さらに思い出深いのは、モービル石油の「♪気楽に行こうよ　おれたちは　あせってみたって　同じこと」という歌と、いかにも当時の、自由を求める若者の姿が印象的なテレビコマーシャルである。これは第四の消費的な価値観の前触れでもあった。

大衆から小衆、自分らしさ志向と自分探し

藤岡和賀夫は著書『さよなら、大衆。』において、従来の「消費者を物理的な属性で区

分けする」マーケティング、つまり「性別、年齢別、学歴、職業、所得」などで「分類された『大衆』」が「共通の価値観、共通のニーズを持っている」という前提を疑い、新しい「感性のマーケティング」が必要な時代になったと言う。「趣味だ、教養だ、スポーツだと、生活時間、生活の余暇時間をどう過すかに生きがいのウエイトが傾いていく」。「しかし、それもみんなと同じではあきたりないから、そこに如何に『自分らしさ』を見つけるかが誰にとっても一番大切なことになってくる。だからビーイング時代のキイ・ワードは、この『自分らしさ』だと実は私は思っているんです」（『さよなら、大衆。』）。

ここに「自分らしさ」の時代がはっきりと提案された。藤岡は「『自分らしさ』を発揮するというのは、結局、自分自身の『感性』の働きにまたなければならない」として、「自分はこういうセンスで、こんな趣味で、こんな生き方で他の人とは違う自己実現をしたい、こういう欲求はほとんど『感性欲求』と言っていいと思うんです」と書いている。こうして「自分らしさ」と「感性」が消費社会の中心的な概念になっていくのである。

１９８０年代前半には、「ニーズからウォンツへ」という言葉もマーケティング業界では頻繁に使われた。必要な物から欲しい物へ、という意味である。言い換えると、生活必需品から、必需ではないが、あると楽しい物へ、といった意味である。「必需品から必欲品へ」ということもよく言われた。

しかし欲しいものを思い浮かべるには、自分がどうありたいかをイメージできなければならない。なのに消費者は必ずしも自分がどうありたいかという「目的」を自分でわかっていない。そういう戸惑いの感覚を素晴らしく言語化したのが糸井重里の「ほしいものが、ほしいわ。」だった。それは「自分はどういう自分でありたいか、それを自分が知りたいわ」という意味であったと言える。つまり「自分探し」なのだ。逆に言えば、これが欲しかったんだという物を見つけることで、消費者は単に物を発見するのではなく、自分を発見しようとしていたのである。

第三の消費社会はいつ終わったか

『第四の消費』では第三の消費社会を1975年から2004年と規定したが、本書では山一證券が破綻した97年までとする。すでに90年には株価が下がり始め、93年には地価も下がり始め、家計消費支出もその後減少する。経済成長率は再びマイナス成長となる。その後いったん持ち直すが、98年には消費税アップによる影響もあり再びマイナス成長。大体このあたりが第三の消費社会の終わりである。

ちょうどそのころから、社会学、経済学の分野では格差論があいついで発表されるようになった。橘木俊詔の『日本の経済格差』(1998)、佐藤俊樹の『不平等社会日本』(2000)、山田昌弘『希望格差社会』(2004)などである。橘木の『日本の経済格差』が1998年刊というのが象徴的である。やはり第三の消費社会は97年に終わり、98年から違う時代になったと言えるだろう。

時代感覚的にも、96年まではまだなんとか好景気を復活できるのではないかという期待があったが、97年の危機でその期待が完全に崩壊したと言える。街角のファッションを見ても、97年まではバブル時代を引きずっているようなところがあり、OLたちは白いブラウスにエルメスのスカーフをしてタイトスカートにハイヒールを履いていた。だが98年になると急激に変化し、裏原宿文化に象徴されるカジュアルなストリートファッションが主流となっていった。

また社会学者見田宗介が指摘したように、NHK放送文化研究所の『「日本人の意識」調査』を見ると、98年から2003年にかけて、さらに2008年にかけて、それまでの「近代化」を進めていた時代の価値観からの変化が見られる(『近代の矛盾の「解凍」』定本見田宗介著作集Ⅵ)。その意味でも「第三の消費社会」は97年で終わり、98年から新しい時代が始まると言ってよいだろう。第四の消費社会は、経済成長が期待できない時代の新しい社会・生活原理を探る社会だからである。

また1998年から自殺者が急増し、その後10年以上3万人以上の自殺者を記録しているのも、その頃を第三の消費社会の終わりと考える理由だと言ってもよい。社会学者の山田昌弘は、自殺、凶悪犯、不登校児などが98年あたりから増加していることをもって「1998年問題」が存在することを指摘した（『パラサイト社会のゆくえ』2004）。

第四の消費社会への移行を示すもうひとつの変化が非正規雇用者の増加である。2001年から2006年までの小泉内閣の新自由主義路線政策は、たしかに大企業を中心とする景気回復をもたらしたが、それは「雇用なき景気回復」と呼ばれ、非正規雇用者を増やすことになった。そのことは、会社という共同体に属さない「個人化」した人々の増大を意味する。第三の消費社会の特徴である個人化が、消費の単位としてだけでなく、社会的な「孤立化」につながる危険が拡大したのである。こうした雇用の流動化が、より人々のつながりを求める第四の消費社会の誕生を促進したと言える。

また、1995年の阪神淡路大震災をもって、時代の変わり目と考える人もいる。家族、近隣社会、あるいはボランティア、NPOなどの人のつながりの大切さを実感させたという意味では、社会が第四の消費社会へと変わる大きな契機となったと言えるであろう。

1-4　第四の消費社会（1998～）

脱私有

こうして1998年あたりから、第四の消費社会的な価値観が拡大していく。第四の消費社会の最も重要な概念は「脱私有志向」である。これについては、すでに私は99年の拙著『「家族」と「幸福」の戦後史』で指摘した。同書で私は、東京の高円寺のような街の人気が若者の間で上昇していること、フリマで自分の物を売ったり、古着を着たりする若者が増えていることなどから、「若者のこうした行動の根底にある価値観は」「戦後大衆消費社会的な私有主義への拒否である」と書いた。

99年時点で私が私有主義を原理とする戦後日本の豊かさの限界に気づいたのは、98年に、ある理由があって久々に高円寺の街を歩き、古着屋だらけの街に何とも言えない解放感を感じたこと、同じ98年頃から吉祥寺の自宅からほど近い井の頭公園でフリマをする若者たちを見て、何だか自由で幸せそうだなあ、ブランド品とか、新品の商品とかなくても十分楽しいんだなあと思ったこと、それともう一つ、やはり98年に、ある仕事を一緒にした若い建築家やデザイナーたちの働き方を見て、会社に縛られない生き方のよさを実感したことなどが影響している（詳しくは拙書『マイホームレス・チャイルド』参照）。

また97年に神戸市須磨区で起こった酒鬼薔薇聖斗事件のあった須磨ニュータウンを98年に見て歩いて、私有空間の息苦しさに気づいたことも大きな体験だった（拙稿「この世界への呪詛」参照。『新人類、親になる！』所収）。

共費

では、消費ではなくて、何が家族同士や他者同士を結びつけるのか。先ほど書いた、若い建築家やデザイナーたちは、同じ事務所にいて、お互いに協力しあい、仕事を融通しあい、楽しみながら働いていた。携帯電話や電子メールをフルに活用することで、同じ会社に属していない者同士でも、いくらでも頻繁なコミュニケーションができていた。そういう彼らのカジュアルな生き方や服装を見て、彼らは消費すること、部屋を物で満たすということに関心がないのだな、共に何かをすることそれ自体によろこびを見出すのだなと感じた。

ちょうどそのころ、新しい消費動向を共同研究しようと依頼してきた博報堂研究開発局と議論しながら「共費社会」という言葉が浮かび、２００２年にレポートにまとめた。そのとき定式化した「共費社会」の三大原理は「共同利用」「自己最適化」「自己関与」である。できるだけモノを買わない、貯めない、むしろ自分だけで私有せずにみんなで共有したり、共同利用することに価値を見いだす。そして最大公約数的なモノやサービスではなく、自分にとって最適な生活を自分で作る。そのため与えられた商品を受動的に使うだけでなく、みずから関与していくようになり、手作りや改造志向が拡大する。また、モノを買うよりいろいろな人たちと出会いたいという価値観が増える。企業はそうした消費者に対応して後述するコンシェルジュ的な機能を強化する必要がある。それらが実現したとき「ニューコミュニティ市場」ができあがる。大体以上がこの特集での主張であった。

主体的に消費し、人とつながる

共費社会とは言うまでもなく共産主義との対比で思いついた造語である。共に生産し、

図表1-4-1　第二の消費社会と第四の消費社会の対比

第二の消費社会		**第四の消費社会**
生産優位	⇨	**生活**優位
生産拡大のための消費	⇨	**生活充実のための**消費
私有	⇨	**共費、シェア、レンタル**
消費者は客体	⇨	消費者は**主体**

資料：三浦展

その成果を必要に応じて均等にシェアするのが共産主義だが、そんなものは現実的ではないことを歴史は教えた。

しかし消費する楽しみに共感する、消費することで人がつながる、ということが生活のひとつの原理になることはありうるのではないか、というのが共費社会という言葉に込めた意味である。

後で引用する山崎正和の言葉にもあるが、生産と消費というと対立概念のようでありながら、実は消費は生産に従属していたのではないか。消費をしてもらわないと生産する意味がないわけで、生産の最終的な終着点、ターミナル駅が消費であって、その意味で消費は生産の最後の一部であると言えるのだ。

特に第二の消費社会においては、まさに消費は生産の最終ターミナルである。生産が増えるから消費を伸ばすのであり、生産を増やすために消費を伸ばすのである。それゆえ消費の原理は生産の原理に従属する。消費は工場の組み立てラインと同様に生産（労働）の「分業」の一部であるとも言える。だから消費は、より大量でより速いことが求められる。

そして消費は物の消耗であることが望ましく、壊れたら、飽きたら、どんどん捨てて買い換えることが望まれる。そこではしばしば労働はお金を得る手段であるという以外は無意味化するのであり、それをかつては「労働からの人間の疎外」と呼んだのである。だとしたら消費という「労働」からも人間は疎外されていたのかもしれない。第二の消費社会における消費者は主体ではなく客体だったからである。

対してシェアやレンタルを原理とする共費社会（第四の消費社会）では、消費は生産拡大という目的のための手段ではなく、消費者（生活者）がみずからの生活をよりよいものに創りかえていくことが目的であり、より充実した生活を実感するための主体的・共同的な行為である（その意味で生協活動は共費社会の先駆という面があっただろう）。あるいは生産をしないで、今ある物だけで生活を回すのも共費社会のひとつのあり方である。だから共費社会では、中古品の活用、リノベーションが当たり前になる。生産が10分の1に減っても、生活が成り立つ社会が共費社会である。

しかしそのように共費社会が拡大すると企業は儲からなくなり、ＧＤＰは下がる。それでは困るので、企業はあの手この手で新商品をつくってきた。今、缶コーヒーが５００種類もあるという。そんなに必要だろうか。せいぜい50種類でよくないか。無駄に多様な商品を作る時間と労力を、本当に新しいイノベーションのために使ってこなかったことが現在の日本の停滞の理由ではないかと私は思う。

分業・分断からつながりへ

もちろん、第四の消費社会は、私有や私生活を否定するのではない。実際私は２００２年だったか、まだシェアについて最初に考えていたころ、やはり隈研吾さんに頼まれて京都の学者や建築家の集まる私的勉強会に参加した。そこでシェアの話をすると、私とあまり年の違わないある有名な学者に「あなたはもしかして昔左翼運動をしていたのか」といった意味の質問をされて非常に不愉快になったことがある。「共」という字を見ただけで共産主義かコミューンかヒッピーかと思われたわけだ（共産党との共闘を絶対拒否する連合会長みたいなものか）。

もちろん、そういう誤解は当初から予想できたので、いかに共産主義とかマルクスとかとずらした視点でシェアを語るかというところにも私は腐心してきた。それから20年たった現在は、突然マルクスを再評価する本が売れるようになったのだから、結構なことである。

話を戻すと、現代人は共産主義者になったのではなく、私有や私生活ではむしろ満たされない願望があることに気がついたのであり、その不満をシェア型の行動によって解消し、さらに積極的にシェア型の生活を周囲に広げていこうとする人々が増えてきた、ということであろう。

こうした傾向は3・11の東日本大震災後に強まったように見える。津波に流される家やクルマを見て、多くの国民が、まさにマイホーム、マイカーに象徴される物を私有することのリスクや空しさを感じただろう。あるいは原発のように、自分の知らないところで知らないうちに自分の生活の基盤が決定されていることへの疑問も芽生えた。

ただし、震災を機に突然シェア志向、脱私有志向が始まったのではない。若者がクルマを買わない、持ち家を買わないと言われたのはすでに1990年代後半であり、その傾向が震災によってはっきりしてきたと考えたほうが正しい。

また本書で言うシェアは、モノ、コト、場所、時間、知恵、力などを貸したり借りたりすることで、ある「価値の共有」をし、相互につながりを生み出すことであると言える。

つまりシェアは、近代社会の分業division of labourではないのだ。分業によって作業は分断され、効率は上がるが仕事の面白さややりがいは減る。しかしシェアは、効率を上げるか上げないかとはあまり関係ない。人々が、モノ、コト、場所、時間、知恵、力などをシェアすることで価値を共有し、共感し、分断ではなくつながりを生み出す、それによって人々にうれしさという感情をもたらすところにシェアの意味があると私は考える。

またシェアは本質的に内発的なものであって、外側から誰かに強制されるものではない。そこもまさに共産主義とは100％異なるところである。

そういう意味で私のシェアの考え方は、イリイチの「コンヴィヴィアリティ」に少し近いかもしれない。コンヴィヴィアリティとは「con一緒に vive 生きる」「一緒に食べる」という意味で、そこから「宴会好きな」「友好的な」という意味もある。複数の人間が過度に依存するのではなく、自立しながらも一緒に楽しく生きる、一緒に暮らして、一緒に食べて、幸福を感じあうといった意味のようである。そういう意味でコンヴィヴィアリティは「共費」なのではないかと思う。「協費」と書いても良い（ちなみに資料編で紹介するokatteにしおぎの運営会社の名前はコンヴィヴィアリテである）。

複数の人間が一緒に生きるとき、必然的にシェアは生まれるはずである。一見ただ受け取るだけの赤ん坊だって、家族に幸福感を与えることができる。障害者だって要介護高齢者だって、彼らを世話する人たちは、彼らが少しでもうれしそうにすることをやりがいにして働く。それもシェアである。それは金銭を媒介とした交換とは異なる価値である。

もちろん健常者でも、自分が困ったときは他者から知恵を借りる。力を借りるのは最も基本的なシェアである。たとえば、食事を分けてもらう、そのかわりスマホの使い方を教えるといったやりとりは日常的なシェア的行動である。

情報社会と利他志向

第四の消費社会では、自分の満足を最大化することを優先するという意味での利己主義ではなく、他者の満足をともに考慮するという意味での利他主義、あるいは他者、社会に対して何らかの貢献をしようという意識であり、その意味で社会志向と言ってよい。

物質的な豊かさは、物を私有することで享受できる。究極的には物を独占することで満足度が上昇することもある。人よりも大きな物、高額な物、希少な物を持ったほうが満足する。それを見せびらかすこともできる。そうしたことをマーケティングの世界では「差別化」と呼ぶ。

しかし、情報は物質とは違い、それを私有し、独占し、貯め込むだけでは意味をなさない。それを他者に伝え、他者と共有しないと、情報を持っていることのよろこびを味わえないのである。金の延べ棒のように情報を積んでおいても、情報は価値を生まない。

これが情報と物質の興味深い相違である。だから、情報化が進むと、人々は、どういう情報を持っているかを自慢するという以上に、情報を交換すること自体によろこびを見出そうとする。日常の些細なことであってもSNSに書き込めば、みんなから「いいね」と言われる。見ず知らずの人からも「誕生日おめでとう」というメッセージが届く。広い意味で利他的な行動が簡単にできるようになったのである。

注　東京工業大学未来の人類研究センターでは「利他」をキーワードに現代社会研究を進めているという。ただしそこでいう「利他」は「能動的な行為」ではなく「他者との潜在的な可能性をひきだすような偶然に開かれた利他」だという。そして「利他は、生産性とは違う視点で社会を見るヒントを与えてくれる」という。また「若者は思いを伝えることも、受け取ることも難しくなっているのではないでしょうか。現代は利他が生まれにくい社会のように思えます。現代社会のさまざまな緊張感の中で、他者との関係を築く経験が少なくなっているのではないでしょうか。」とも言う。（東

京工業大学未来の人類研究センター長・伊藤亜紗氏の言葉。日本経済新聞2022年2月9日）

日本志向・地方志向

第四の消費社会のもう一つの特徴は日本志向、地方志向である。

たとえば、海外旅行をする若者は減ったのに京都旅行をする人は増えた。熊野古道、伊勢神宮なども人気が出た。これらの点は、拙著『愛国消費』（2010）で詳しく論じたので、本書では簡単に書くだけにとどめるが、たとえば内閣府の「社会意識に関する世論調査」によると、20代男性では国を愛する気持ちが「強い」人が2000年の22・1％から2010年は38・8％へ、20代女性では23・4％から35・5％に増えている。2020年は2010年とほぼ同じである。

「日本」というものは、それ自体が「大きな物語」である。「経済成長」「経済大国」に代わるのがもっと抽象的で文化的で伝統的な「日本」というイメージなのだろう。

言い換えれば、経済大国2位の座を中国に譲った現在、日本人は、経済大国に代わる誇りを、日本の伝統文化に求めているとも言える。またグローバリゼーションが進み、世界中のライフスタイルが均質化していく中で、日本らしさを求める心理が拡大したとも考えられる。海外旅行の経験が、平和で清潔な日本の素晴らしさを実感させた面もあろう。これらのことが重なりあって、近年、日本への関心を高めることになっているものと思われる。

シンプル志向

シェア志向の消費者は、先述したように、一つの物を複数の人でシェアする、レンタルで済ませる、あるいは中古をリサイクル、リユースするという行動をとるので、必然的にエコロジー志向であり、生活全体から無駄を省くシンプル志向のライフスタイルになっていく。

この点については、2009年に上梓した拙著『シンプル族の反乱』で指摘したが、消費者が求めるライフスタイルが、第二の消費社会のように「もっと大きく」ではなく、第三の消費社会のように「もっと高級」「もっとファッショナブル」「ワンランクアップ」という上昇志向、自己拡張志向でもなく、環境にやさしく、おだやかな、シンプルなものに変化しているということである。

具体的には、1999年にロハス系雑誌『ソトコト』が創刊、2003年には『クウネル』『天然生活』という、いわゆる「ロハス系」「暮らし系」の雑誌が創刊された。また1997年には『チルチンびと』という自然派の家づくりの雑誌も出ており、どうもやはり97年以降から、単なる物質主義的ではない暮らし方への志向が高まってきたと言えそうである。

ここで重要な点は、エコ志向、シンプル志向は、日本志向と結びつきやすいという点である。いわゆる「アメリカ的」なライフスタイルは大量消費型であるから、エコとは結びつかない（もちろん質素で敬虔な生活をするアーミッシュなどは別だろうが）。どんな国も前近代の社会では自然と共生して暮らしていたと思うが、自然と共生しながら、というだけでなく、まさに自然との共生そのものを高度な文化、生活様式に高めることができた国としては、昔の日本が最高だろう、と多くの人が信じられるものがたしかに日本文化の中にはある。他の国にそれがまったくないというわけではないが、とにかく昔の日本にはそれがたしかにあると思える。

ゆえに、エコ志向は日本人にとって、単に科学的な問題ではなく、文化的な問題として意識される。さらには日本の伝統的生活様式への誇りと結びつく。そしてシンプルな暮らしこそが、「経済大国」に代わる、日本の将来の新しい目標として意識されるのである。

ブランド志向も所詮は欧米のブランドである。そんなものをいくらたくさん買っても「正統性」は得られない。それに比べると、古くから日本にあったエコロジカルな暮らし、シンプルな暮らしをすることには、文化的な正統性がある。

実際、カルチャースタディーズ研究所の調査でも、環境問題に「関心がある」人は、日本が「とても好き」が41％であり、対して「あまり関心はない」「関心がない」人は「とても好き」が15〜16％台しかない（「現代最新女性調査」２０１０ 首都圏20〜39歳女性対象）。環境問題への意識の高さと日本への好意度はかなり比例しているのである。

また、環境問題に関心が高い人ほど日本的な行動をしており、かつ「流行に流されず、来年以降も使えそうなデザインの物を買う」「丈夫で長持ちしそうな物を買う」「基本性能がよい物を買う」という回答も多い（同調査）。

こうしたシンプル志向の拡大がもたらしたのは、第三の消費社会的な、海外高級ブランド志向の終わりである。むしろ全身ユニクロでＯＫと考える若者が増えた。ブランドで自分の個性を表現しようという若者は減った。自分の個性と無関係だと思うものは、第二の消費社会的な画一的な大量生産品でかまわないと考えるようになったとも言える。

シェアハウスが人気になった理由

シェア志向の価値観は、本来は他者との差別化を求めるものではない。むしろ、他者とのつながりを求めるものである。人と違う自分を見せつける、見せびらかすのではなく、人との共通性を見つけて、そこを媒介にあらたなつながりをつくろうとするのである。

だからといってシェア志向は、同質化を強制するものでもない。シェア志向の価値観が広がった前提は、個人主義的な価値観がそもそも広まっていることにある。現代のシェアは、みんなが同じだけ分配されるべきであるという、集団主義的、社会主義的なシェアではないのだ。むしろ、みんなが違うのは当たり前であり、それをお互いに尊重し合うという個人主義こそがシェア志向の大前提になっている。

これまで述べてきたシェア型の行動、価値観の広がりを具体的に見せてくれるのがシェアハウスの人気である（拙著『これからの日本のために「シェア」の話をしよう』［2011］参照）。

シェアハウスに住むことの利点は、「1 コミュニティ、2 エコノミー、3 セキュリティ、4 個性、5 多様性、6 チャンス」の6点である。

1　コミュニティ　特に女性の場合だが、おしゃべり仲間がいることはストレス解消にもなり、楽しく過ごせる。いろいろな業種のいろいろな職業の人と出会える楽しさもある。しかし、昔の下宿屋とはちがい、個室がしっかりあるので、つながりはあるが、縛られない関係が維持できる。また病気などで困ったときは助けあえる。

2　エコノミー　シェアハウスに住むには初期投資が少ない。礼金なしで、敷金に当たるものもないか、あっても家賃の1カ月分程度かそれ以下である。また、冷蔵庫、電子レンジなどの家電はキッチンに備え付けであり、キッチンの設備は一戸建て並みに充実している。各部屋にはベッド、テーブル、イスが備え付けである。だから、住み始めるときの初期投資が少なくて済む。また海外や地方に頻繁に長期的に取材などに行く仕事をする人は、東京や行き先でシェアハウスを借りた方が普通の賃貸住宅を借りるより経済的である。

3　セキュリティ　数人で集まって住むから防犯上安心である。防災面でも、特に地震のときなどは一人暮らしよりも安心であり、実際3・11の時もシェアハウスの住人からは、シェアハウスでよかったという声が多く聞かれたらしい。また病気の時なども、住人が食事をつくってくれるなどの助け合いができるので、安心である。

4　個性　シェアハウスは、一軒一軒がそれぞれ違うコンセプトでつくられ、インテリアも外観も間取りも異なるので、第三の消費社会以上に個性的でもある。間取り、建てられた年、住む人数、インテリアや外観などなど、一つとして同じシェアハウスはない。ワンルームマンションを何回引っ越しても同じようなインテリアのものがほとんどだが、シェアハウスを何回か引っ越せば、いろいろなインテリアや生活環境を楽しむことができる。

5　多様性　普通の賃貸住宅だと非正規雇用・自由業など収入が安定しない人、シングルマザー、高齢者、外国人などのいわばマイノリティに貸したくないという物件がしばしばある。しかしシェアハウスではそうした人々を差別せず、むしろ積極的に住まわせる場合もある。R65という65歳以上向けのシェアハウスもあるほどだ。

6　チャンス　シェアハウスでは、自由業など多様な職種の人が住むことで、住民同士がお互いに仕事を融通することもある。都心に賃貸住宅を借りて住めない人でもシェアハウスなら何とか住める場合もある。都心に住むことで自分の仕事のチャンスを広げたい人にとってシェアハウスはメリットがある。

このようにシェアハウスに住むことには大きなメリットがある。特に女性は、男性より正規雇用が少なく、年収が低い人が多く、かつ防犯が重視され、また会話が好きな人が多いので、シェアハウスはメリットが大きい。

若くて体力もあり、正規雇用で年収が高く、結婚もし、会社というコミュニティに属している男性は、シェアハウスに住む理由はあまりない。だが、その男性も65歳になり、会社を辞め、年収が下がり、体力も下がり、もしかして離婚もして、それでも少し仕事をしなければならなくなったら、シェアハウスに住むメリットが増える。そういう意味でシェアハウスは後述する「総シングル社会」における「ライフスタイルケア」機能を持った住み方だと言えるのだ。

もちろんすべての人がシェアハウスに住むわけではないし、住む必要もない。だが、シェア的なライフスタイルは今後ますます必要になるだろう。すなわち先ほどの「1コミュニティ、2エコノミー、3セキュリティ、4個性、5多様性、6チャンス」の6点を重視するライフスタイルが大事であり、企業、行政、NPOなど市民団体なども、その6点を提供する事業を展開することが重要になるのだ。

われわれにとって〈家郷〉はもはや否応なしに、人間がそこから出発しいつでもそこに還ることのできる所与の自然としてでなく、構築すべき未知の世界としてしか存在することができない。

見田宗介「新しい望郷の歌」

第2章

「魔法の時代」と「再・生活化」、あるいは「ケアのシェア」へ

2−1　再・生活化

消費社会の究極の姿とは

前章で、第一の消費社会から第四の消費社会までを概観し、第四の消費社会の特徴を整理してきてみて、あらためて、消費とは何なのだろうか、消費社会はどこに進んでいくのかということを考えてみたい。

consumeを英和辞典で引くと、「使い尽くす」「焼き尽くす」「食べ尽くす」「飲み尽くす」と書いてある。conは「すべて」、sumeは「取り去る」という意味である。たしかに、物が少ない社会では、主として人は食料を食べ尽くしていたのであり、生産した物は最後まで使い尽くされたであろう。

しかし、豊かな社会になり、耐久消費財が増え、高級腕時計のように半永久的に使い尽くされない物を一般人でも所有するようになった社会における消費は、単なる使い尽くす、食べ尽くすことではないだろう。

他方、consumeと似た言葉に、consummateがある。conは「すべて」、sumは「合計」のsumと同じでやはり「すべて」という意味である。だからconsummateは「完成する」という意味である。形容詞の意味もあり、「完全な、申し分のない、円熟した、熟練の」という意味である。名詞はconsummationである。

フランス語では消費をconsommationというが、不思議なことに、それには「完成」「成就」という意味もある。英語のconsumptionと語源的に同じフランス語consomptionは「消耗」「憔悴」という意味である。

つまり、フランス語のconsommationは、英語のconsumptionから「物を消費する」という意味が取れたものであり、かつフランス語のconsommationは、英語のconsumptionにconsummationの意味が加わったものなのである。言語学者ではないので、どうしてこうなるのかわからないが、フランス語のconsommationには、「使い尽くす」と同時に「完成させる、成就する」という、一見矛盾する意味が込められているのである。材料を使い尽くすことで料理が完成する、というような意味であろうか。

コンサンプションとコンサマトリー

さらにここで重要なのはconsummateの派生語であるconsummatoryという言葉が、社会学では「自己充足的」などと訳される重要な概念だということだ。

consummatoryの反対語はinstrumentalであり、「道具的」「手段的」と訳される。見田宗介は書いている。

「インストゥルメンタルの方は『手段的』と邦訳できるが、コンサマトリーは邦訳不可能である。『目的的』は誤訳であるし、『即時充足的』も、固いわりに意を伝えにくい。『私の心は虹を見ると躍る』という、そのように虹を見て心が躍っている時が、コンサマトリーな時である。すなわち、性的なエクスタシー、芸術的な感動、宗教的な至福（bliss）のように、他の何ものの手段でもなく、それ自体として無償のよろこびであるような行為、関係、状態、時間、などが、『コンサマトリーな』行為、関係、状態、時間、などである。これに対して、賃労働、営利活動、受験勉強、政治的な目的のための組織活動など、それ自体の外部にある目的のための手段としてある行為、関係、状態、時間、などが、『インストゥルメンタルな』行為、関係、状態、時間、などである」（見田宗介・栗原彬・田中義久編『社会学事典』1988）

もちろん「賃労働、営利活動、受験勉強、政治的な目的のための組織活動など」も、人により、時により、場合により、「他の何ものの手段でもなく、それ自体として無償のよろこびである」ことはありうる。しかし、「賃労働、営利活動、受験勉強、政治的な目的のための組織活動など」は、結果として何らかの成果（賃金、利益、合格、当選など）を得られなければ意味のない、「完成」しない行為である。

他方、コンサマトリーな行為は、結果として何らかの成果（賃金、利益、合格、当選など）を得られることがなくても、それ自体が幸福、楽しさ、うれしさをもたらすなら、それで行為として「完成」するのである。雨上がりに虹が出て、ああ、きれいだな、と思う。赤ちゃんを見て、思わず笑顔になる。それがコンサマトリーである。

消費は生産の一部ではない

消費という言葉に「使い尽くす」という意味とともに「完成、成就」という意味も含まれるとするなら、言い換えれば、単に空腹を満たすために食物を買って食べるというインストゥルメンタルな意味だけでなく、「他の何ものの手段でもなく、それ自体として無償のよろこびである」こともまた消費の一部であるとするなら、どうだろう。

そのことを極めて総合的に論じたのが山崎正和の『柔らかい個人主義の誕生』（1984）である。同書は、第三の消費社会のただ中にありながら、第四の消費社会の予兆を感じ取り、理論化した名著、現代の古典である。

山崎は1980年代初頭に流行していたジャン・ボードリヤールの『消費社会の神話と構造』（原著1970）を批判する。ボードリヤールによれば「消費社会とは、たんに『余分な豊かさ』を楽しむ社会であり、量において『過剰な消費』を行う社会だ、という程度の認識しかなされていない」。ボードリヤールは「人間には『自己保存の本能』に対立する根源的な本能があり、それは『自己の力を使い果したい』と願う衝動であって、つねに『より多く、より早く、よりしばしば』と願う衝動だ、という。そして、この本能に支配されている以上、現代の消費社会がとめどない濫費に走り、贅沢の誇示と、それにたいする怨恨や暴力を生むのは必然だ、と氏は主張するのである」と山崎は整理し、それに対して、ある意味コロンブスの卵のような反論をする。

「まず皮肉をいうなら、この『より多く、より早く、よりしばしば』というのは、明らかに効率主義の標語であって、これは消費社会というより、むしろ生産至上主義社会の原理だと見るべきであろう」。むしろわれわれは「いまその効率主義にこそ疲れているのではないだろうか」と切り返す。つまり前章「共費」のところでも述べたように、ボードリヤールの言う消費は生産と対立する概念ではなく、むしろ生産に従属する概念であると山崎は批判するのである。

「今日の日本社会にもこの傾向はまだ残っていて、少なからぬひとびとが、流行の商品を『より早く、より安く』手に入れようと、文字通り効率的な買物を競いあっている。しかし、忘れてはならないのは、これはあくまで、特定の社会の特定の歴史段階における現象であり、人間の欲望の永遠の本質を示すものとはかぎらない」

では何が本質か。

自己充足としての消費

山崎は書く。

「人間にとって最大の不幸は」「物質的欲望さえ満足されないことであるが、そのつぎの不幸は、欲望が無限であることではなくて、それがあまりにも簡単に満足されてしまうことである」。「食物をむさぼる人にとって、何よりの悲しみは胃袋の容量に限度があり、食物の美味にもかかわらず、一定度の分量を越えては喰べられない、という事実であろう」。それどころか、「欲望が満たされるにつれて快楽そのものが逓減し、ついには苦痛にまで変質してしまう」。

「一方で、選択すべき対象の数が増えるとともに、他方では、選択しながら生きるべき自由な時間が延びて、現代人の人生はまさに迷いの機会の連続になった」。「『何か面白いことはないか』と自問する人間は、すでに半ばは、自分がその『何か』を知らないことを告白しているのであり、自分が自分にとって不可解な存在であることに気づき始めている」。なんだ、第1章で触れた糸井重里の「ほしいものが、ほしいわ。」と同じじゃないか。

そこで人間は何を考えたか。「物質的な消費」は「なんらかのものを消耗する」という目的を目指しながら、「しかし、同時にそれにいたる過程をできるだけ引きのばそうとする」。そこでは「ものの消耗という目的は、むしろ、消耗の過程を楽しむための手段」となる。「最大量の食物を最短時間に消耗しようとするのではなく、むしろ逆に、より多く楽しむために、少量の食物を最大の時間をかけて消耗しようとする」のである。

本来「人間の消費行動はおよそ効率主義の対極にある行動であり、目的の実現よりは実現の過程に関心を持つ行動」なのであって、「いわば、消費とはものの消耗と再生をその仮りの目的としながら、じつは、充実した時間の消耗こそを真の目的とする行動だ」と山崎は結論づける。つまり、消耗（consumption）を、自己充足（consummatory）に変換すること、これこそが消費の最終的な成熟の姿であると山崎は予言した。

ただし、山崎の予言が現実化して感じられるようになったのは、２０００年代に入ってからであろう。『柔らかい個人主義の誕生』の出版後、バブル経済によって、「人間の欲望はしばしば権力志向的に働き、より多く、より早い消費を見せびらかして、他人に差をつけることに狂奔」する時代が延命したために、新しい消費の時代の到来が遅れたからである。また一方で、バブル時代を経たからこそ、われわれは浪費に疲れ、新しい人生の意味を模索し始めたと言うこともできるであろう。

とはいえ「最大量の食物を最短時間に消耗しようとするのではなく、むしろ逆に、より多く楽しむために、少量の食物を最大の時間をかけて消耗しようとする」という山崎の指摘は、ファストフードとコンビニ食品全盛の現代から見ると理想論に見える。たしかにお茶会を気軽に開く人などは増えたように思えるが、日常的には早く料理を作る・早く食べることが今ほど重視されている時代はないと思える。食卓について食べることすら一般的とは言えず、少なからぬ人々は通勤途上に急ぎ足で歩きながら食べるのであるから。

さらにまた近年は20年以上にわたる実質的な景気後退によって（数字的には好景気の時期もあったが一般庶民には実感がなかったという意味で）浪費に疲れたことなどない世代が20～30代となり、そのため、若い世代ほどバブル時代のような消費に憧れるという傾向も出てきたようである（その点については章末で詳述する）。

顔の見える消費社会・見えすぎる社会・見えない社会

大衆はもともとそれぞれが属する地域社会の中では、顔の見える農民であり、大工であり、魚屋であったはずである。それが巨大な大衆社会ができあがると、顔の見えないサラリーマン、工員となっていった。だが彼らは職業人としてはまだそれでもなにがしかの専門家として、顔が見える存在だったのに、消費者としては同じような石けんや自動車やカップ麺やスーツを買う平均化された均質な顔のない大衆になっていった。そして性能の良い製品を作って世界中に売りまくる日本人は顔の見えない国民と言われたのである。

それに対して消費社会が豊かになってくると、人は消費によって差別化を図ろうとしだし、自分らしさ、自分の個性を服装や髪型や趣味などによって表現しようとし始めた。第三の消費社会までは物の消費が中心だったが、第四の消費社会が発展していくにつれて人が重要になり、消費は、単なる物の消費から本格的な人間的サービスの消費へと変わっていきつつある。しかしそれは、単に金銭を払うことで一方的にサービスを受け取るのではない。消費を通じて、もっとお互いの人間的な関係を求める人々が増えていくであろうと思われるのだ。

つまり、サービスという商品を消耗するという意味のサービス消費が発展するだけではなく、サービスが提供側にとっても受け手側にとってもコンサマトリー（自己充足的）な行為であることが求められていくだろう。そこでは、どんなサービスを受けられるかはもちろんだが、誰からそのサービスを受けるか、その人とどのように人間的に付き合い続けられるかが重要な意味を持つようになるであろう。

とすれば、サービスではなく、物の売買の場合であっても、誰がどのように物を売るかが重要になる。すなわち、通り一遍のマニュアル的な販売ではなく、物への十分な知識と愛情を持った人間が物を売るということに人々は大きな意味を感じるようになるにちがいない。

一方で、非常に興味深いことに、ＳＮＳの発達により、身近な友人はもちろん、見知らぬ人にまで自分の顔が、いつどこで何をしていたかまで、「見えすぎる社会」になった。

いや、自分がいつどこで何をしているかを我々は常に発信するようになった。顔写真をアップするとは限らないが、そこではお昼に食べたラーメンや夜に飲んだ酒や訪れた街などが、顔の見える人間の刻印を押されるようになってきた。さらにまた自分の顔、人格ではなく、アバターという別のデジタル上の顔、人格をまとって、他者と（他の仮面と）付き合うということが可能になってきた。一部の人々は自分の「顔が見えない」ことを望み始めたのである。

創造的生活者

また、エコロジーの視点が重視される第四の消費社会では、ロングライフであることが価値を持つ。ロングライフとは、長い間、あまりモデルチェンジせずにずっと残り続けるということである。ロングライフであるためには、生活に本当に必要な価値を提供すること、基本的な機能、性能がよいということが求められるだろう。パッと一時だけ売れる物や店ではなく、長い間売れ続ける物や店が重視されるのである。

そうなると、物をつくる人、選ぶ人、店をつくる人の目がぶれないことが重要になる。たしかな目で見て、長く売れる本質的な物を選び出す。そういう人のいる店が、客から信頼される。そうすると、またその店に来たくなるし、その物を買いたくなる、だから長く売れつづける。そういうように、店と人の関係を大事に育てていくことが重要になるのである。

このように、第四の消費社会においては、物を物神化するブランド信仰のような態度は次第に退潮していき、物によってどんな人とどんなつながりを生むことができるかという目的こそがもっと重視されるようになる。

もちろん他方で、我々の生活の基盤はますます大量生産型になっているのであり、日常的な食事はコンビニ弁当かファストフードかファミレスであり、お茶を飲むと言えばペットボトルであり、着るものはユニクロかワークマンでありという状態が広がっている。そこには職人技もないし、売るプロもいない。そしてペットボトルのお茶に京都の老舗のイメージをまとわせるという第三の消費的な虚構的ブランド戦略がとられるのである。それは先述した高級なインスタントコーヒーを飲むヨーロッパのルドルフ殿下と同じ笑うべきねじれ構造である。そうした消費社会において純粋な第四の消費を楽しむのは、多数派ではなく、限られた人たちではある。

しかし第四の消費社会的な消費者が多数派ではないということは、彼らが単なる受動的な消費者ではないからであり、むしろ能動的な生産者、発信者、創造者、改革者であるからだ。単に企業が薦める商品を買うだけでなく、自ら生活を創り出し、今の時代にふさわしい新しい人と人の関係を（すなわち社会を）創り出す生活者だからである。

第四の消費社会の生活者が創り出すつながりは、昔の共同体的なものではない。彼らの生み出すつながりを私は「共異体」と名付けた。

共同体は、空間的に制約され、時間的に永続し、成員が固定的であり（あるいは親から子へ受け継がれる）、したがって外部に対して閉鎖的である。たとえば神社と氏子の関係が典型である。日本の会社もそうである。成員は入れ替わるが、同じような成員に入れ替わるだけで、しばしば親子が同じ会社に勤め、会社の永続を求める。

対して共異体は、空間的に制約されるとは限らず、時間的に限定的でありえ、成員は入れ替わり立ち替わりすることが前提であり、外部に対して開放的である。単一の場所で永続的な事業が行われるというより、いろいろな場所で同時多発的にプロジェクトが立ち上がり、そのプロジェクトは時限的であることも多く、成員同士のつながりはあるが束縛はされない、というのが共異体である。

「再・生活化」

大体以上述べてきたようなことが第四の消費の特徴であり、過去20年あまりの間に、第四の消費的な現象は広がってきたとたしかに実感する。そして、あらためてこれらの現象の特徴をよく見ると、そこには「再・生活化」という共通の軸があるのではないかと私は思う。

「再・生活化」とは、高度経済成長期以前の日本人の一般的な暮らし、生活を、もう一度見直し、再評価し、部分的にであってもそれを現代の生活に取り入れようとする動きである。具体的に言えば、少しでも自ら食べ物をつくる側にまわりたいという意識が高まり、実際に、少しであっても農業をする人が増えたり、味噌づくりワークショップに参加する人、梅干しや梅酒をつくる人などが増えたりしている。

そんなことは日本人の大半が第一次産業従事者だった1950年代までは単なる日常の労働である。だがそうした日常から余りにも遠く離れたところに来てしまった現代生活の中で、特にデジタル化が急速に進んで生身の人間らしさが日常から奪われていくことに対して、これでいいのかと疑問を感じる人々が増えてきたためであろう。

また3・11後の原発事故で、大事なことを知らされないまま生活と命を他人任せにしている自分たちの生き方に疑問を感じたということが、自分の生活が具体的にどこでどうして成り立っているかを自分の手中に収めて知りたいという意識を芽生えさせていることも、私が取材してきた多くの人々の言葉から感じられた。その意識も「再・生活化」という行動を促進している。

そうした「再・生活化」に対して、政財界が推し進めるデジタル化や原子力は、現代文明が生み出した「魔法」である。その魔法によって、われわれは60年ほど前にはまったく想像もしなかった暮らしを今している。ほとんどドラえもんの道具のように、何でも可能だ。

だが、ドラえもんがポケットから取り出す道具が実に素朴な形をしているのとは異なり、現代の道具はスマホの画面を指でなでるだけである。本当に魔法のように実在感がない。

そして何より、一般人は魔法を理解できない。種も仕掛けもあるはずだが、一部の魔法使いだけがそれを知っている。そういうリアリティのない時代にわれわれは生きている。

だからこそ、今ほどリアリティを求めたくなる時代はないのだ。魔法ではなく生活が欲しくなる。1個1個の行動が全てリアルな生活。リアルなものをつくり、リアルな行動で成り立つ生活。そういうものに心惹かれる時代なのだろう。この「再・生活化」を求める消費者こそがまさに堤清二が予言し提言した「生活者」なのではないかと私は考える。

そこで私は次のフレーズを思いついた。「われわれにとって〈生活〉はもはや否応なしに、人間がそこから出発しいつでもそこに還ることのできる所与の自然としてでなく、構築すべき未知の世界としてしか存在することができない」。元ネタは本章の冒頭にある。

2−2 悲しみを受け止める社会

「魔法の時代」

見田宗介は戦後日本社会を、「理想の時代」「夢の時代」「虚構の時代」という3段階に分けた。敗戦からの15年が「理想の時代」、次の15年の高度経済成長期が「夢の時代」、その後の15年の高度消費社会が「虚構の時代」である。第四の消費社会論に従うと、第二の消費社会が「理想の時代」と「夢の時代」、第三の消費社会の前半が「虚構の時代」である。

だが「虚構の時代」の後がはっきりと語られていない。見田自身は「ヴァーチャルの時代」だという。他の人は「不可能性の時代」だとか「動物化の時代」などと名付けて来た。

私は、現代は「魔法の時代」であり、それに対して、魔法への反動として、生活の実感、生きる実感を求める時代なのだと定義したい。現代が、リアリティを求める時代であるということについては見田宗介もそのように考えている（見田宗介『現代社会の理論』参照）。AIもARもグーグルも自動運転も一種の魔法である。その魔法がスマホの中にある。そして「魔法」はメタバースの発展によって最大化するのかもしれない。

そもそも「理想の時代」「夢の時代」「虚構の時代」という3段階は、それぞれの前の時代へのアンチテーゼとして現れ、かつ次の時代を駆動する原理として考えられている。

「理想の時代」は政治の時代である。それを象徴するのは1946年に公布された日本国憲法である。それまでの封建主義、軍国主義、全体主義から解放されて個人の自由を認める民主主義という政治思想が理想になり、新しい社会を作ったのである。

しかし政治的な理想だけでは食っていけない。当時の日本はまだ貧しかった。経済成長と生活水準の向上が必要だった。だから、「夢の時代」は経済成長の時代でなければならなかった。成長の基礎となる産業技術の時代でもあった。その時代の象徴は「夢の超特急」（1964年に開業した当時世界最速の鉄道、東海道新幹線ひかり号）である。

「虚構の時代」は消費の時代である。「夢の時代」が急激な産業技術の発展による大量生産の時代であり、画一的でモーレツな生産労働からもたらされる疎外感に大衆がさいなまれた時代でもあったのに対して、消費は個人のそれぞれの感性を解放するという意味を持った。まだ20代の若者だった戦後生まれの団塊世代がその感性の解放の時代を担った。また、工業生産による環境破壊に対して、感覚的に美しい（モーレツからビューティフルへ）ものが求められた時代だとも言える。

虚構の消費の時代の象徴は一般的には渋谷パルコ（1973年開業）だと言われる。当事者であった私としてはそうかなと思う面もあるが、図式的にはそれが便利だ。たしかにパルコはきわめて感性的な広告で一世を風靡し、理想の時代とも夢の時代とも違う、ある意味ではニヒリズム的（大きな物語の終わり）とも言える時代を代表していたと同時に、新しい物語として女性の解放を後押しする思想を示した。

しかし、消費の時代としての「虚構の時代」はバブル崩壊とともに終わり始めた。オウム真理教の信者たちには、虚構的な消費の時代への違和感があったという説もある。虚構に違和感を持った若者が、リアリティを求めて宗教に向かった。だがもちろん宗教も一種の虚構であるが。

オウムはまさにバブル時代に台頭し、95年に地下鉄サリン事件を起こした。阪神淡路大震災も起こった。97年の山一證券と北海道拓殖銀行の破綻などの金融危機によって、決定的に虚構の消費の時代は終わる。そして98年、私の記憶でも街の風景ががらっと変わった。消費を否定する時代が始まったのだ。第四の消費の時代の始まりである。

消費が生活の大きな目的ではなくなり、消費をすることで階層上昇した気分になる、中流階級らしくなる、上流階級に近づく、といった社会的な共通理念の崩壊がおこった。それは下流社会化の一面でもある。

下流社会化は、民主主義という理想も経済成長という夢も消費の快楽も衰退した時代の心理傾向である。だからか、パルコも売れなくなった。その代わり、日本中の郊外やロードサイドに巨大ショッピングモールが台頭した。だがモールには虚構性は弱く感性の解放があったとも思えない。

「虚構の時代」の次が「魔法の時代」だとすれば、その時代を象徴するのは95年のウィンドウズ95の発売だろうか。あるいは94年のプレイステーションの発売か。あるいはやはり2008年発売のスマホか。

それはともかく、では「魔法の時代」は「虚構の時代」の何に対してアンチテーゼを示したのかと問えば、あえていえばモノの浪費に対するアンチテーゼはあったかもしれない。「虚構の時代」は高度消費社会の時代であり、そうであるかぎりにおいてモノの時代であり、それが好景気によってモノの浪費、資源の浪費につながった。

だが「魔法の時代」は高度情報化の時代であり、デジタルの時代である。「高度情報化」ではなく「超高度情報」の時代と言ったほうがよい。すでにわれわれの生活は「物から情報へ」というトレンドの中にいると言うより、社会・生活自体が全体として「情報」であるとすら言えるところにまで達しつつあるからだ。大きなテレビもステレオも小さなスマホの中に入り、スマホでコミュニケーションをする若者はリアルに外出することが減ったためにクルマの消費も減った。これによって物体として大きなモノを消費しなくてもよくなったことが、「魔法の時代」が「虚構の時代」に対して何らかのアンチテーゼを示していると言えなくもない。

顔の見える人がヒット商品になった

このように「魔法の時代」においては非モノの消費が主流となる。この時代を象徴する最大のヒット商品はおそらくポケモンＧＯである。世界中の人々がスマホを持ってポケモンが陽炎のように現れる街の中をさまよった。またインスタ映えのためのリア充なシーンの写真が消費された。スマホの通信にはその都度お金を払っていないので、消費をしているという自覚がないし、もちろんいわゆる消費ではなく、あえて言えば時間消費である（私には時間浪費に見えるが）。

もちろんインスタ映えのためには魅力的なモノや場所が必要である。シズル感のあるアイスクリームとか、フルーツサンドとか、昭和喫茶とか。だがそこではモノ自体を所有すること、消費することが目的ではなく、他者とのコミュニケーションが目的であり、モノはそのための手段である。もちろんスマホを介した「見せびらかしの消費」でもある。

このように、今はたしかに「魔法の時代」であり「ヴァーチャルの時代」である。だからこそ、一方で現代は「リアルの時代」なのである。ヴァーチャル化した生活の中で、リアルな生の実感、あるいはリアルな物のシズル感を欲する時代である。もちろんすべての人がリアルを求めているようには見えないが、少なからぬ人がリアルを求め、かつ単にリアリティを消費するだけでなく、リアリティを生産する側に回ろうとしている。それが巻末で取り上げる事例に共通する傾向であろう。

また生の実感は、知的活動よりも身体的活動によって得られやすい。スポーツや肉体労働、できれば農業のように自然とふれあう肉体労働をすることが生のトータルな実感に結びつきやすい。相対的に知的活動は衰退するという面もある気がする。

日本の経済が絶頂期で、世界の市場を日本の家電やAV機器が独占していた1980年代には、しかし、日本人の顔が見えないと言われた。これは半分欧米の言いがかりだったかもしれないが、今は、世界の市場から日本製品が減りつづけているのに、日本人の顔の存在感は増してきた。野茂、イチロー、大谷翔平、錦織圭、大坂なおみ、松山英樹、羽生結弦、浅田真央等々、世界で名を知られるアスリートは増えた。美術・音楽の世界でも世界的に活躍する人は増えた。それはとても喜ばしく、誇らしいことである。

以前、日経MJ新聞の毎年の「ヒット商品番付」で横綱がイチローだったことがあるが、そんなことを言われてもパナソニックもトヨタもセブン-イレブンも自社の商品開発や店づくりのヒントにはならないので、まったく馬鹿馬鹿しい番付であった。とはいえ、そこで言えるのは、日本のヒット商品は人間になったということである。それも見方によっては第四の消費的な現象なのかもしれない。

一方で非常に「魔法の時代」的な現象だと思われるのは、性に対して無関心な人が特に若い世代で増えているという最近の傾向である。性というのは最も身体的なリアリティのある行為であり、精神的にもリアルな満足感をもたらしうるものであるはずだが、それを求めない若い人たちが増えている。ヴァーチャルと均衡を取るためにリアルを求め、特に身体的なリアリティを求めている時代なのに、性に対しては実に億劫になっているのだ。その点については第3章で少し考える。

自分で使用価値をつくる

最近地球環境への危機意識の高まりから、商品の記号的価値への過度な批判が見られるようになった。しかし、無駄な物を一切つくらず消費もせず生きられるほど人間は賢くない。消費社会以前の社会に戻ることを望む人はほとんどいない。物に使用価値さえあればよくて、象徴的価値、記号的価値は一切不要だということではない。使用価値しかない生活はおそらく味気なく、殺伐とする。

たとえば私自身はまったくこれは無駄遣いだと思うが、ゲームセンターにあるクレーンゲームで安物のぬいぐるみを集めて部屋中に置いている人がいる。これなどはまさに使用価値とは無縁の無駄である。だが使用価値はないが機能はある。ぬいぐるみがたくさんあると幸せになれるという機能である。そういう人がたくさんいることは事実だ。そういう人たちに、安物のぬいぐるみを買うのはやめて、高級なぬいぐるみを買えとか、ぬいぐるみではなく、切れ味の良い包丁を買えといっても余計なお世話である。

だが私としては、使用価値を自分でつくることで、単なる消費では得られない満足が得られるぞという提案はしておきたい（もちろんこれも余計なお世話だが）。私はこの10年、新品をできるだけ買わずに中古で買う、買わずにもらったり、拾ったりしてすます、あるいは古くなっても捨てずに直して使うようにしている。

たとえば私の部屋ではゴミ置き場に捨ててあった道具箱を本棚にするとか、靴入れにするとか、本棚を食器棚に転用するとか、酒や陶磁器の入っていた木の箱をCDケースにするとか、いろいろな使用価値の転換をしている。中古品を買うのは昔から好きだが、拾った物を使うようになってからは、中古屋に行っても、これならいつか拾えるかもしれないと思うと中古品すらあまり買わなくなった。

また、かかとのすり切れた靴下のつま先部分を8センチほど切って、Tシャツ（セブン-イレブンで買った下着）の胸に縫い付けてポケットにした。なかなかおしゃれである（自画自賛）。使い古したタオルを雑巾にするのは正しいが、あまり楽しさはない。いまどき古タオルを縫って雑巾を作る人はほとんどいないだろう。雑巾は買ってくるものになった。

昔の人は楽しくなくても雑巾をつくったが、今の時代は楽しくなくては何事も続かないだろう。

靴下の使用価値は足を入れることであって、ポケットになることではない。そもそもTシャツの胸ポケットはほぼ飾りであって、昔なら煙草でも入れたであろうが、今はほぼまったく使用価値はないのである。あるとすればデザイン的な面白さという記号的価値である。靴下をポケットにしたTシャツの写真をフェイスブックにアップしたら多くの人が喜んでくれた。でもそれで無駄な消費が少し減るならいいだろうと思う。

無印は拾ったもので暮らす方法を提案するべきだ

浴室の椅子は、ゴミ置き場で拾った踏み台に木材屋で100円で買った端材のぶ厚い無垢の板をくっつけたら、なんだかちょっと高級そうな椅子ができた。同じ端材がもう1つあったので、これは「ヤフオク！」で中古の椅子の錆びた脚を2500円で買って取り付けてオリジナルの回転椅子を作った。私の好きな家具屋の「トラック」風の椅子ができた。

CDケースとか、タオル掛けとか、たわし置きとか、石けんトレーとか、歯ブラシ入れとか、我々の生活には無限に専門分化した商品が溢れている。だが果たしてそれは本当に必要なのだろうか。タオルは洗面台の横に置けばいいし、石けんトレーは欠けた小皿でいいし、壁に釘を打てば歯ブラシを引っかけられる。それじゃかっこ悪い、貧乏くさい、不便だと信じ込まされて、我々はあれこれ要らない物を買わされているだけである。

そういう意味ではシンプルライフの店のはずの無印良品の店ですら要らない物がたくさん売られている。無印がもし本当に現代の民藝だとか禅だとか言うのであれば、無数の日用雑貨を売ることよりも、拾った物で暮らす方法や自分で考えて必要な物をつくるアイデアを提案するほうが正しいと私は思う。もちろんそれでは無印の売上げが伸びないが、発想としてはそういうことも提案するくらいの企業であってほしい。

このように考えると、物や建物などをつくっては壊してきた第二、第三の消費社会までの消費の多くが、まさに「浪費」であったと思わされる。私も第二の消費社会に生まれ育ち、第三の消費社会を象徴する会社でマーケティングをしていたのだから、本当にたくさんの無駄をしてきたと、最近は深く反省している。

人生の意味を求める

先述したように、消費には、使い尽くすという意味と、完全なものにするという二重の意味がある。必要以上に使いすぎる消費、使い捨てる消費は浪費であり、使った後に疲れ切って余力がない消費は消耗である。

しかし、そもそも時間を消費しなければ、楽しい時間、充実した時間も過ごせない。適切な運動によって体力を消費しなければ、健康は維持増進されない。その意味で、われわれが望む消費とは、まさに自分を完全なものにする、自分を回復する、あるいは充実した時間を過ごすためのものであると言える。

第四の消費社会の担い手である人々の活動ぶりを見ていると、彼らが、まさに浪費や消耗ではない、適度な、適切な消費を求めているという印象を強くする。いたずらに新しいものを求めない。すでにあるもの、古いものにも等しく目を向ける。まだ使えるものを捨てない。すでにあるもの、古いものを上手に活用する。先述したような、古いものより新しいものがよいという価値観から彼らは脱却している。

「陳腐化」というマーケティング用語が示すように、今ある商品を陳腐だ、つまらないと思わせ、新製品を買わせることこそが、消費社会の鉄則であった。周知のように、それを自覚的かつ組織的に行ったのは、1920年代のGM（ゼネラルモーターズ）である。それまで人気だったT型フォードは、デザインが1種類だった。それでは買い替える理由がない。そこでGMは2年に1度モデルチェンジをし、かつ大衆車から高級車までをラインナップした。そのためにインダストリアル・デザインが重視されたのである。消費者は、せっかく好きで買ったクルマが2年後には陳腐だと思うように洗脳された。そこでは、買っても買っても最終的な満足は得られないのである。そのニヒリズムが消費社会の宿命であった。

かつてマックス・ウェーバーは、中世の農民は、人生という有機的な円環を全うしたと感じて、人生に満足して死んだが、近代人は、それができない、近代人は、人生に疲れ果てて死ぬのだと言った(『職業としての学問』)。

なぜなら、文明社会には、つぎつぎと新しい文物が登場して、古いものが忘れ去られていくからである。そこには完成ということがない。だから死が無意味化する。いくら生きても人生は完成せず、中途半端で終わるからである。死が無意味化すれば、生もまた無意味化する。最終的な死が意味を持たないのなら、人生にも意味がないからである。ウェーバーは20世紀の消費社会を論じたわけではないが、しかし20世紀の消費社会こそがウェーバーの「予言」どおりの社会であったと言えるであろう。

逆に言えば、人生に意味を感じようとするなら、そして死に意味を感じようとするなら、人は次々と新しい物や情報があふれ出てくる消費社会から、完全に脱することはできないとしても、一定の距離を保とうとするであろう。消費すること自体が、時間や人生の消耗ではなく、時間と人生の充実であることを人々は求めるであろう。

考えてみれば、人間にとって最大の消費対象は人生そのものであり、究極の消費とは人生の成就であろう。この人生を浪費して無駄に終わらせるか、消耗して疲れ果てるか、あるいは充実した時間を過ごして、満足して死ぬか、これこそが人間にとって最大の問題である。第四の消費社会は、人々にそうした問題を意識させていると言えるであろう。

「楽しさ」から「うれしさ」へ

消費社会における価値観や幸福観について考えていくなかで、ふと思いついたことがある。それは、現代の消費者は「楽しいこと」以上に「うれしいこと」を求めているのではないかということである。

「楽しい」も「うれしい」も似たような言葉だが、たとえば「今日は大学の同級生と街でばったり会ったので、お茶をしておしゃべりして楽しかった」という場合と「今日は大学の同級生と街でばったり会ったので、お茶をしておしゃべりしてうれしかった」という場合では、「楽しかった」のはおしゃべりに力点があるが、「うれしかった」のは同級生と会ったことに力点がある。こうしたニュアンスの差が、第三の消費社会までの価値観と第四の消費社会における価値観の差だと思う。

また「八百屋さんで買い物をしたら、お嬢さん、おまけしますよと言われたからうれしかった」とか、「お店に行ったら、買おうとした商品の特徴について店主がしっかり説明してくれたので、うれしかった」というような使い方もするだろう。人との出会いやコミュニケーションがうれしさにつながるのである。

人からの承認がうれしさにつながるとも言える。自分がわかってもらったとき、認めてもらえたときに人は「うれしい」。悲しいとき、落ち込んだときに話を聞いてもらえるのも「うれしい」。つまり「うれしい」の根源は究極的には「愛された」という感覚、自分の存在を受け止めてもらえたという感覚なのだろう。

少し言い方を変えると「愛想」である。「愛想」は一種の「利他」である。愛想よくされると人はうれしいのだ。ところが今の時代はこの「愛想」が足りない。マニュアル化した丁寧語はくどいほど使われるが、「愛想」がない。「おねえさん、可愛いから100円おまけ」なんて言うとセクハラと言われる社会である。あるいは「愛想」は「感情労働」だなどと小難しいことをいう人もいるので、ややこしい。

昭和30年代までの日本映画を見ると、日本人がいかに愛想が良いかがわかる。会話のほとんどが定型的な愛想の言葉で成り立っていると思えるほどである。「こんちは」「あら、いらっしゃい。珍しいわね」「いや、ちょっと近くまで来たもんだから、どうしてるかなって思ってさ」「あら、それはどうも」「あんた、しばらく見ないうちに女っぷりを上げたね」「あら、ありがと」「ところで○○ちゃん、いる?」「今日は学校なの。夕方まで戻らないわ」「そうか。じゃ、帰る」「あら、今来たのに?」「夕方までは待てん」「まあ、お生憎さま」などなど、こういうときにはこういうお愛想を言うという定型があり、それにのっとって話していく。映画と現実は違うかもしれないが、おそらく現実も現代人の会話よりもスムーズだったはずだ。それは私の親の会話を思い出してもそうである。基本的に日常会話の定型があり、たとえお世辞であっても相手をうれしくさせる、気を悪くしたときはこう言うという前提で会話が成り立っているのである。

実はこれからのビジネスにも、消費者にこの「うれしさ」を提供することが改めて求められるはずだ(それが本当の「オモテナシ」だ)。そのためには従業員の自然な「愛想」が必須である。

私の家の近くにお餅の店がある。大福餅や季節の柏餅、桜餅などを売っている。楽しい店かというと、黙ってお餅を作っているだけであるから、わいわいにぎやかで楽しいというのではない。だが、お餅は素晴らしく美味しく、店内には温かい湯気とふんわりとした匂いがたちこめ、職人がひとつひとつ餅を作る手作業も見られて、その店でお餅を買うこと自体がうれしいのだ。

悲しみを受け止める

このように第三の消費社会までの価値観は物に力点があり、第四の消費社会においては人に力点がある。何を消費したかではなく、誰といたか、誰と出会えたか、誰がどうやってつくったか、誰からどういうふうに買ったか、それでうれしかったか、ということが重要になる。

楽しさはもちろん大事だ。だが楽しさはうれしさに比べると簡単に演出できる。クリスマスやハロウィンやバレンタインに店を飾り、楽しげにするのは簡単だ。だが「うれしく」なるためには、「うれしく」する「誰か」の存在がいる。子どもが笑うと親はうれしい。彼女が笑うと彼氏はうれしい。それはコンサマトリーな感情だ。

また楽しいときだけでなく、悲しみが軽減されたときも人は「うれしい」。悩みを聞いてもらうと人は「うれしい」。これからの日本では、超高齢社会にふさわしい、喜びも悲しみも受け止める人と人とのつながりを生み出し「うれしい」を広げていく活動が求められるだろう。

私は国土交通省などが駅前再開発などで使う「にぎわいの創出」という言葉が嫌いである。にぎわいが創出されたまちには、楽しさが溢れるように描かれるが、そのまちには悩みや悲しみを受け止める場所が消えている。古い喫茶店や居酒屋やスナック。こうした場所は楽しさを倍加するというより、落ち込んだときに悲しみを受け止める、自分を見つめ直す場所としても機能していたはずだ。だが再開発はこうした場所を古い、さびれた、汚い場所として排除する。だがそういう再開発は「人間の居る場所」をなくしてしまい、消費するロボットだけが跋扈するにすぎない。

書店も古書店も八百屋も魚屋もこれから生き残ろうとすれば、対人サービス的な業態に変わっていくだろう。客が「うれしい」と思える店。客が悲しいときに立ち寄りたくなる店。そうした人間の感情にフィットする個性的な店が生き残る、いや、むしろこれから必要性が増して、あらたにできていくのだろう。

画一的なチェーンオペレーションでは「うれしい」店は実現しにくい。時代はセルフレジ化に向かっている。そのうち商品をカゴに入れただけで支払いが済むようになる。が、だからこそ「うれしさ」と「愛想」があり、悲しみを受け止める店には高い金を出しても行くという時代になるだろう。

私の知人の女性が地元町田市の市議会議員選挙に初めて立候補して見事に当選した。彼女のスローガンは「町田をもっとうれしいまちへ」である。選挙なら普通は「楽しいまち」とか「にぎわいのあるまち」と言うところであるが、彼女は『第四の消費』を読んでくれていたので、「うれしいまち」という言葉をスローガンにしてくれたのである。それはきっと物の豊かさではない人のつながりの豊かさを町田で実現したいという彼女の気持ちの表れであろう。こんな「うれしい」ことがあるだろうか！　きっと彼女なら悲しみも受け止めるまちをつくるだろう。

市民が政策立案の最初からまちの未来を話せる場をつくりたい

町田市議会議員・秋田史津香さんへのインタビュー

私はもともとは政治への関心はありませんでした。日常生活に特に不満はなく、仕事中心の生活で地域での活動もPTAの活動もしていませんでした。ところがこれは三浦さんのせいなのですが、2017年の年末に小学校つながりの女性Uさんが三浦さんの講演を聞いて、老若男女が一緒に食べる場所が大事だと言われて、それで突如空き店舗で小料理屋をするというので、手伝いにかり出されました。そうしたら、地域の人たちが100人くらい集まって、みんな地元のまちが好きで、まちを良くしようという人たちがいる、まちのために、子どものために、こんなに力を尽くしている人たちがたくさん

いるんだって知ってびっくりしました。

以来私も地元に知り合いが増えて、人とつながりが持てて、それってこんなに楽しいことなのか、うれしいことなのかと思ったんです。自分のまちを知る、そのまちの人たちを知るということがとても楽しく感じるようになりました。

その結果、小学校のPTA会長もすることになりましたが、そこでとても深刻な問題に突き当たりました。教育委員会や市役所がなぜもっと真摯に対応してくれないのか、なぜもっと親や子どもの声を聴いてくれないのか、非常に疑問に感じました。PTA以外でも、市の政策の進め方に疑問を持つことが増えました。

ですので選挙では「町田をもっと〝うれしい〟まちへ」というスローガンを掲げました。

「うれしいまち」って何？ と、特にバリバリ働く男性たちから言われることがありました。でも、たとえばこういうときは楽しいけど、こういうときはうれしいですよねと説明すると、ああ、なるほどねと納得してくれました。私としては、楽しいまち、うれしいまち、人と人がつながれるまちをつくりたいという思いを込めています。子育てってこんなに楽しくて、うれしいとか、高齢者が生き生き暮らせて、うれしいとか、そういうまちにしたいです。

選挙期間中には私や家族がコロナに感染してしまい、街頭演説はUさんらが代わりにやってくれました。私はZOOMで政策を述べました。

実際に市の事業でも、楽しいまちづくり、文化的なまちづくりをしようとはしているのですが、市民の中には、そんなことしても、どうなの？ それで誰がうれしいの？ と首をかしげる人たちがたくさんいます。政策を進める側が市民の声をよく聴かずに進めている気がします。政策を考えるのは役所、政策ができてから市民の声をパブリックコメントとして一応聴いておくというスタイルはおかしい。

私は、市民と行政のつながりをよくする、もっと気軽に話し合えるようにしたい。だから、とにかく普通の市民の人たちの話を聞きたい。市民自身が政策立案の最初のところから町田の未来の話を話せる場をつくりたいと思っています。

2－3 総シングル社会におけるライフスタイルケア市場

全世代のシングル化へ

シェア型のライフスタイルの広がりの背景には、シングル化（未婚者・死別者・離別者や単独世帯の増加）がある。国立社会保障・人口問題研究所の予測によると、2040年時点の男性の生涯未婚率は29・5％にまで増加する。女性は18・7％である（生涯未婚率とは、ごく簡単に言えば50歳時点での未婚率である）。

また1955年生まれの女性の場合、離婚経験率（一度でも結婚したことのある者に占める離婚経験者の割合）は、50歳時点で18・4％だったが、1970年生まれでは35歳時点ですでに18％を超えている。この趨勢が続けば、1990年生まれでは50歳時点で39％が離婚を経験すると予測されている（岩澤美帆「初婚・離婚の動向と出生率への影響」『人口問題研究』2008年12月号）。

男性の3割、女性の2割が一生結婚しない社会になる

図表2-3-1　生涯未婚率の推移（将来推計含む）

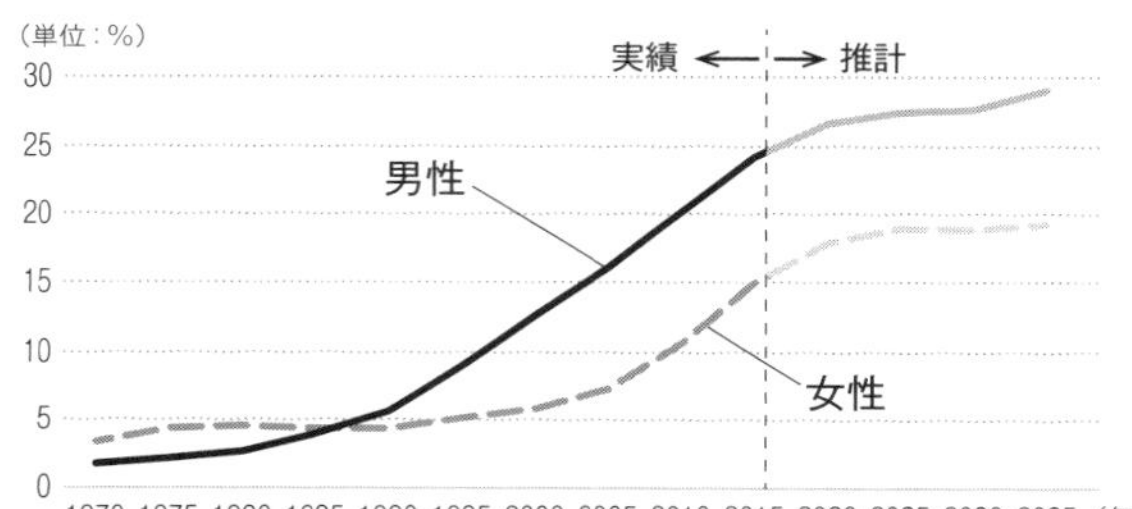

（注）生涯未婚率とは、50歳時点で１度も結婚をしたことのない人の割合。2010年までは「人口統計資料集（2015年版）」、2015年以降は「日本の世帯数の将来推計」より、45～49歳の未婚率と50～54歳の未婚率の平均である。

資料：国立社会保障・人口問題研究所「人口統計資料集（2015年版）」、「日本の世帯数の将来推計（全国推計2013年1月推計）」

若い未婚人口が減り、中高年の未婚・離別・死別が増える

図表2-3-2　未婚・離別・死別人口の実勢と予測

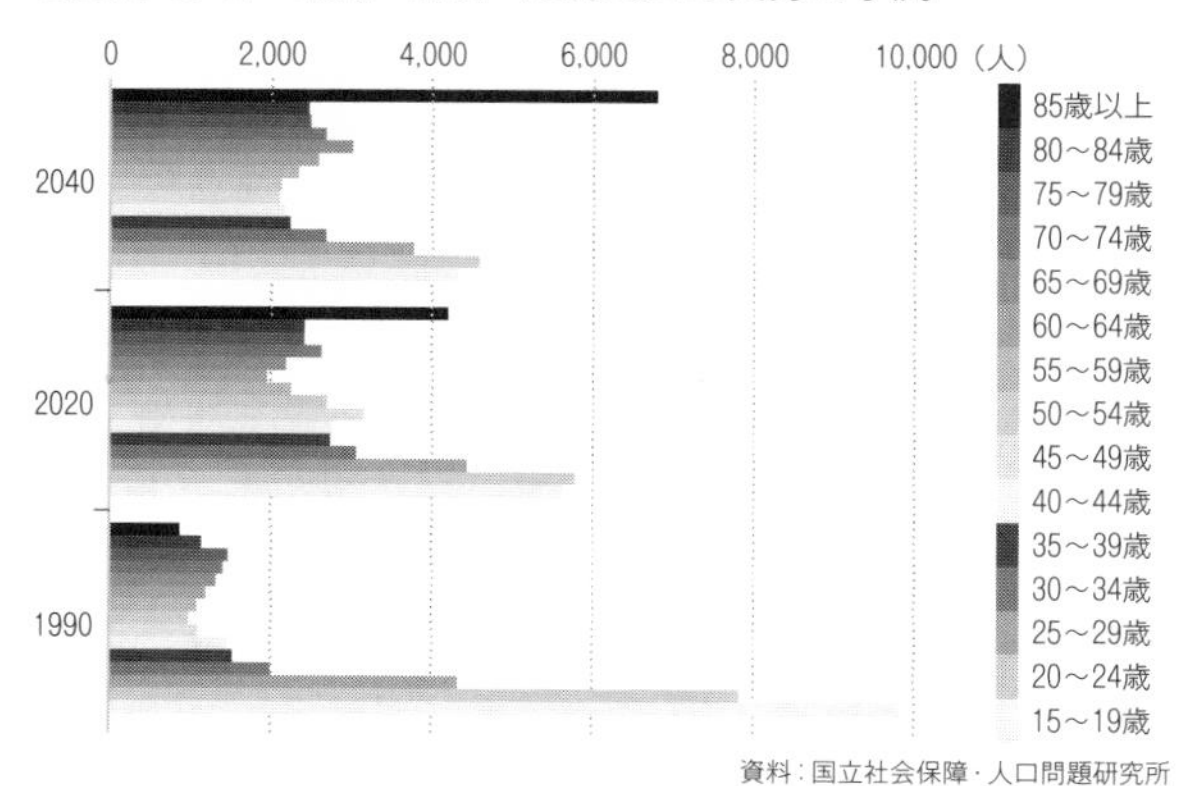

資料：国立社会保障・人口問題研究所

つまり、1990年生まれの女性は50歳時点で23・5％が未婚、残り76・5％のうち39％、つまり全体の29・8％が離別する。合計53・3％が単独世帯やシングルマザーや中年パラサイトシングルなどになるのである。死別を加えればもっと増える。そして、60歳、70歳時点ならさらに離別、死別が増えるので、ますます単身者が増えるのである。すなわち、全世代のシングル化が進むのである。

このような総シングル社会においては、シェア型のライフスタイルはいわばセーフティネットとしての機能を果たすとも言える。防犯、防災という意味でのセキュリティだけではなく、人生全体の保障という意味でのセキュリティとして、シェア型のライフスタイルが必要になるのだ。

また特に今後問題になると言われているのが、パラサイトシングルの「高齢化」である。「8050問題」「7040問題」とも言われるように、パラサイトシングルが中年になり、親は後期高齢者になりつつある。70代、80代の親が40代、50代の子どもの世話をしている。親が病気、死亡後はどうなるのか。中年の子どもが親を介護できるのか。という問題が起き始めている。40代のニートの息子を殺害した元農水省事務次官の事件は記憶に新しい。

1990年には35〜44歳の人口の5％ほどに過ぎなかったパラサイトシングル率は20

一人暮らしは中高年主体となる

図表2-3-3　単独世帯の年齢別人口の実勢と予測

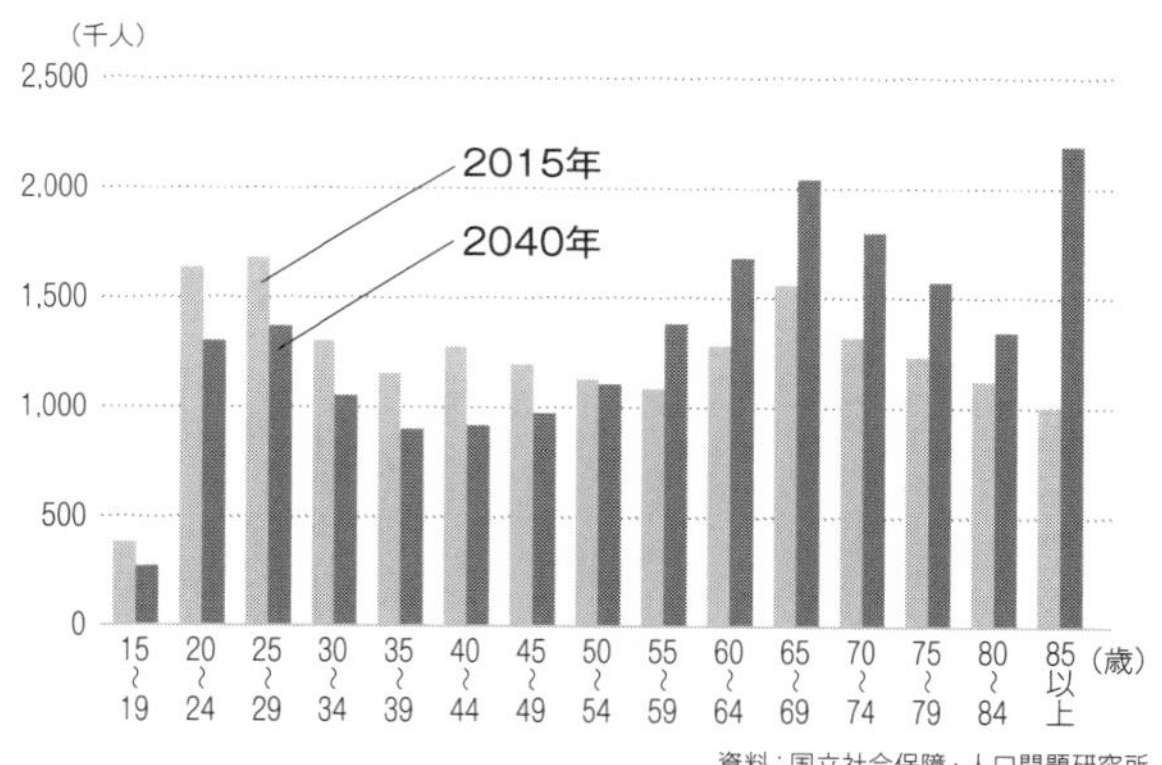

資料：国立社会保障・人口問題研究所

１５年には17％に増えている。かつ35～44歳のパラサイトシングルは完全失業率が高い。さらに45～54歳のパラサイトシングルの完全失業率も45～54歳全体の完全失業率よりも3倍ほど高い。

　また単独世帯もどんどん中高年化している。２０１５年でも単独世帯（単身者のみの世帯）の53％は50代以上なのである。さらに２０４０年には単独世帯は１９９４万世帯を越え、うち66％が50代以上となるのである。中高年シングルが増えるのだ（拙著『中高年シングルが日本を動かす』参照）。そしていわば「一億総シングル社会」とでも言いたくなるような状況が出現するのである。

40歳以上のパラサイトシングルが増えてきた

図表2-3-4　親と同居の未婚者数の推移（男女年齢別）

（万人）

男女の別 年齢5歳階級	年次								
	1980年	1985年	1990年	1995年	2000年	2005年	2010年	2015年	2016年
15〜59歳	1,611	1,792	2,098	2,082	2,120	2,082	2,059	1,970	1,927
15〜59歳	732	821	918	757	679	592	563	540	535
20〜24	481	532	613	665	571	512	476	424	420
25〜29	245	243	310	344	435	400	356	311	298
30〜34	91	104	118	138	195	259	232	198	191
35〜39	26	50	69	73	97	134	181	162	146
40〜44	13	18	43	51	62	78	114	146	142
45〜49	10	9	16	34	43	48	64	95	100
50〜54	8	8	9	11	26	36	42	62	58
55〜59	5	6	3	7	11	24	30	33	38
男	857	940	1,129	1,110	1,147	1,128	1,123	1,073	1,042
15〜59歳	374	411	470	390	346	304	285	276	269
20〜24	239	258	304	327	280	259	242	211	210
25〜29	160	148	179	191	242	211	190	166	151
30〜34	59	75	82	87	116	150	131	114	112
35〜39	13	31	52	49	63	83	109	93	89
40〜44	5	9	29	36	45	50	75	89	87
45〜49	3	4	9	21	32	32	42	60	65
50〜54	2	2	4	6	16	25	29	40	36
55〜59	1	2	1	3	7	15	19	23	25
女	754	852	968	972	973	954	935	898	885
15〜59歳	358	410	448	367	333	288	278	264	266
20〜24	242	274	309	339	291	253	234	212	211
25〜29	86	95	131	154	193	189	165	145	147
30〜34	32	30	36	51	79	108	101	84	79
35〜39	12	19	17	24	34	51	72	69	57
40〜44	8	9	14	15	17	29	39	57	54
45〜49	7	5	7	14	11	16	22	35	36
50〜54	6	6	5	5	10	11	14	22	22
55〜59	4	4	2	4	4	9	11	10	14

注1）上表は各年とも9月の数値である。

出所：総務省統計研究研修所 西 文彦「親と同居の未婚者の最近の状況」2017

ライフスタイルケア市場

　実際近年「ケア」ということが社会の各所で注目されることが増えている。病気や高齢者に関わるケアはもちろん、最近は未成年が親族の介護などを行うヤングケアラーが問題視されているし（注）、ジェンダー論的なケア論も多数出版されている。そうしたケア論の現状をまとめるのは本書の趣旨ではないが、主に超高齢社会の拡大を背景として人間の心と体のケアが大きな問題になっているらしいことは間違いない。

『第四の消費』では「シェア」に重点を置いたので「ケア」にはほとんど触れなかったが、私はすでに2002年の著書『団塊ジュニア1400万人がコア市場になる！』で、「総シングル社会」における「ライフスタイルケア市場」がこれからの成長市場であると主張している。

　今読み返すと自分が記憶していた以上に今の時代でも十分通じることを書いている。そこで本書でも同書の要点をご紹介しつつ、最近の情報を加えながら書いてみることにする。第四の消費の今後について考えるうえでも有効であろう。

　私がシェアについて最初に考えたのも2002年の博報堂研究開発局での研究「共費社

会の誕生」であったので、私はケアとシェアの両方を同じ時期に考え始めていたことになる。ただしその両者を結びつける発想がなかった。ケアをシェアすることが究極的には最も大事であると悟ったのは『第四の消費』を書いた直後である。

当時私は「総シングル社会」における「ライフスタイルケア市場」が成長する理由として以下の3つを考えた。それを少し紹介する。

1. 高齢者など、福祉という意味でのケアが必要な人が増えていること。
2. これまで若年中心だった単身者（1人暮らし）が、中高年中心に増えるという意味でもケアが必要な人が増えること。
3. 現役世代の家族でも、女性の就業が増えると、家族の成員それぞれが自分でできるケアは自分で行う必要が増すこと。言い換えるとそれまでは妻（母）が夫と子どもをケアする役割を無償で担っていたのである。

「1955年体制」という言葉がある。現在の自由民主党が、自由党と民主党の合併によって生まれたのが1955年だからだ。この合併により、日本は親米政権を土台として経済成長に集中した政策をとっていく。

経済面では高度経済成長であり、アメリカ的な大衆消費社会を目指す体制だった。封建的家父長制的な大家族から解放された国民は、若い労働力として都市に集中し、働き、結婚し、子供を2、3人産み、標準的な核家族世帯を形成した。

その家族は消費の単位でもあって、家族の成長とともに物が購入され、消費され、それによって企業は売上げを伸ばした。国全体の経済が成長し、かつその富が国民に平等に分配されることにより、一層家族は豊かになり、中流階級化し、さらに消費を拡大するという大量生産大量消費のシステムがそこに完成した（拙著『「家族」と「幸福」の戦後史』参照）。

その中では男性が働き稼ぎ、女性が専業主婦となって家事と育児をするというジェンダー役割が強まった。家電、化粧品、洗剤などの広告は明るく美しく清潔好きな専業主婦を描き、男性は栄養ドリンクを飲んで猛烈に働き、クルマを颯爽と運転する役割を期待された。

注　厚生労働省によるヤングケアラーの調査によると、小学6年生の6・5％が「世話をしている家族がいる」と回答。世話の頻度は「ほぼ毎日」が53％。平日1日あたり「3〜7時間未満」を世話に費やす子どもが23%。ケアのために「自分の時間が取れない」が15%。「勉強する時間がない」が8%、「眠る時間がたりない」が7%だった。「若者ケアラー」として大学3年生にも調査したところ、世話をしている家族がいる学生は6%、過去にいた人は4%。ケアの対象は「母親」が35%と多かった。(日本経済新聞2022年4月8日参照)

ケア家族からケア社会へ

「ケア市場」というと、福祉関係の市場かと思われるかもしれないが、ここでいう「ケア市場」の意味するところはもっとずっと広い。消費者が日々の生活の中で感じている、ありとあらゆる不安、不満を軽減し、解消するための商品とビジネスが、ケア市場を形成するのである。

たとえば、最近子ども食堂というものが急増している。NPO法人全国こども食堂支援センター・むすびえの調査によると、2016年には全国で319カ所だったものが、20年は5086カ所である。最初は低所得家庭の子どもで、親が仕事で夜帰れない、あるいはシングルマザーであるという子どもが、安心して夜に食事を取れる場所であった。だが最近は低所得でもないし、シングルマザーでもない家庭も、両親ともに仕事が忙しいために、子どもが個食となることが増えたため、こうした子ども食堂が広がったのである。これもケア市場の1つである。子ども食堂というと、まあ聞こえが良いが、現代の子ども版炊き出しと言えないこともない。震災や台風で被災したわけでもないのに、子どもが夕食すら親からケアされない状況があるのだ。

女性が結婚・出産・専業主婦という役割にとどまらなくなった。1人暮らしの人が増えるというだけでなく、家族であっても行動が個人単位になる。人間全体の「個人化」が進むのであり、消費もさらに(両親やきょうだいと住む未成年であっても)ますます個人型になっていく。これが私の言う「総シングル社会」だ。だから「総シングル社会」になったとき、人々は何を求めるか。これを考えるべきだ、というのが『団塊ジュニア1400万人がコア市場になる!』の主張であった。

家族というのはケア組織である。先ほど書いたように、1955年体制の時代には主に父親が経済的なケアをし(稼ぎ)、食事作り・健康管理・子育てなどのケアの役割は妻・母親に多く期待されてきた。夫が疲れて帰ってくれば、おいしい食事をつくって体力を回復させ、風呂に入れ、肩をもんであげ、性的にも満足させる、というのが理想的な主婦のケア機能だったと言える。

掃除や洗濯もいわば健康管理であり、財産をケアするものだともいえる。またさらに祖父母がいればその世話なども主に主婦に期待されるケアだった。特に近年は祖父母、義理の祖父母の介護までが主婦に要求されるようになり、主婦のケア活動は著しく飽和状態に達した。

しかし近年は児童虐待事件も多く、そもそも子どもをケアすることを拒否する親が増えているのかもしれない。夫婦や親子が相互にケアをするという仕組みがなかなかうまくいかない時代になったのだろう。だからこそそれに代わるものとして他人同士のケアが求められるのであろう。

昔は主婦がやっていたケア

つまり、従来は家庭の主婦が実は重要なケア機能を担っていた。これが、家族中心ではなく個人中心の社会になっていくと、だれもが常に自分をケアしてくれる人を持たなくなる。「おーいお茶」と呼べば、すぐにおいしいお茶が茶碗に入れられて出てくるというのは遠い昭和の昔の話になってしまった。「お～いお茶」はすでにペットボトルのお茶の商品名でしかない。若い人はなぜ「お～いお茶」という名前なのかわかるまい。そういえばおじいちゃんはおばあちゃんに「お〜いお茶くれ」って言っているなと思い出すくらいか。

先ほども述べたように、一人暮らしはいうまでもないが、家族で暮らしていても、個人行動が広がっていけば、だれもが自分で自分のケアをしなければならなくなる。背中がかゆいといってかいてくれる人、かぜを引いたといって薬を買いに行ってくれる人がいない。夫婦でいるとしても、仲のよい夫婦ばかりではないし、妻は子どもの面倒をみるほどには夫の面倒はみないこともある。夫の肩が凝ったとき、「もんでくれ」と妻に頼めない家庭もあるかもしれない。そこで、お金を出してマッサージしてくれる人を頼んだり、クイックマッサージに出かけて行ったり、マッサージ器を買ったりするわけだ。

食事の世話もそうだ。食事をつくってくれるというのは、基本的なケアだが、いくら同居している子どもでも、大きくなった子どもの食事作りや健康管理を一生懸命するお母さんは少ないだろう。

つまり、これまで主に家庭の主婦が担っていたケアの機能を、個人がお金を出して手に入れる時代になったのだ。お茶はペットボトルに入り、人々は「大戸屋」などの普通の「おふくろの味」の定食を出す店にも行き、ファミリーマートの惣菜は「お母さん食堂」となった。コンビニが母親になったのだ！　そういう時代が来ることを私は「コンビニマザー」という言葉で表現したことがある（『新人類、親になる！』1997）。

このように、かつて（主に1970年代末まで）主婦が担っていたケア機能を個人個人がお金を出して買うところに巨大な「ライフスタイルケア市場」が生まれたのである。

ケアが成長ビジネスになる

2001年にすでに慶應義塾大学の島田晴雄教授（当時）は小泉内閣の経済財政諮問会議「サービス部門における雇用拡大を戦略とする経済の活性化に関する専門調査会」の緊急報告（2001年5月）を出し、それをもとに『明るい構造改革　こうすれば仕事も生活もよくなる』という本を書いておられる。

島田氏の主張を大まかにいうと生活者視点の産業創出が重要であること、生活密着産業がこれからの成長産業であるということである。そして「サービス産業が新しい日本を作る」と題して、これからの日本に必要なサービス産業をいくつか提案していた。それが次のものだ。

①個人家庭向けコンシェルジュサービス

②教育サービス　生涯教育・社会人向け教育
③企業団体向けサービス　ＩＴを活用したサービス
④住宅関連サービス
⑤子育てサービス
⑥高齢者ケアサービス
⑦医療サービス
⑧リーガルサービス
⑨環境サービス

島田氏は高齢者についてのみ「ケア」という言葉を使っているが、彼の挙げるサービス産業に共通するのが実は「ケア」であることは明白だ。子育ても、医療もまさにケアだ。また個人家庭向けコンシェルジュサービスの具体的内容は何かというと、資産運用や医療情報のサービスとなっている。財産であれ、健康であれ、知的資源であれ、将来の社会的資源である子供であれ、それらをうまく伸ばしていくためには、ケアが必要なのだ。いろいろな局面で世話をしたり、支援したり、手当てしたり、気配りしたりするサービスが求められているということが述べられている。

島田氏は住宅サービス産業にも大きな期待をしていた。これまでの日本は、スクラップ・アンド・ビルドで、新しい家を建てることだけに関心が集まっていたが、島田氏は、これからは人口も減り、環境問題にも配慮しなければならないので、今ある住宅資産をどのように活用するかに注目すべきだとして、建物の骨組みは長期間耐久性のあるもので、必要に応じて間取りを自由に変えられるスケルトン・インフィルも、それを実現する一つのシステムとして着目していた。

島田氏の指摘したスケルトン・インフィルの動きは、その直後から中古リノベーション事業として注目されはじめ、今や一大産業となったことは言うまでもない。2002年では新築住宅を買うのが当然だったのが、今では中古住宅を買ってリノベーションをするのが普通になっている。

壊れたら新しい物を買い換えたほうが安いという常識がずっと続いてきたが、今は壊れてもすぐに新しい物を買わなくても済む状況がある。たとえばテレビが1台壊れても、家の中にはあと2台テレビがあるので、急いで買わなくてもよい。買うとしてもメルカリで中古を買うとか、ただでもらってくださいという情報をスマホで伝えるサービスもある。

衣料品にしても、昔は貴重だったから穴が開いたり、破れたりすれば、繕って使うのが常識だった。それが、豊かになって新しいものをどんどん買う時代になった。

ところがそうなると今度は、単に新しい服を買うだけでは満足が得られなくなった。そこで古着を買ったり、それをまたリフォームしたりするなど、あえて自分なりに時間と手間をかけてつくることによろこびを見出す感覚も出てきた。

さらに近年はダーニングが流行っている。ダーニングとは要するに衣服の繕いである。昔の女性なら家庭で毎日のようにしていたことである。それが今は一種の趣味として流行するようになった。まさに「再・生活化」である。

ダーニングによって衣服を捨てずにケアする、それはエコでもあり、ＳＤＧｓでもある。古着を買ってダーニングをすれば、元の所有者から服への思いを受け継ぐという意味で一種のシェア的な意味も持つ。

2−4 ケアをシェアする

3人の高齢者が1人の若者を支える

また人口構造の変化（超高齢化）の観点から、私は「3人の高齢者が1人の若者を支える」という提案をしたが、この提案は『第四の消費』のなかでも最も気に入られたものの1つである。

第四の消費社会を生きていくためには、いろいろな発想の転換が必要である。たとえば、2035年の20代の人口は約1070万人だが、65歳以上の人口は約3780万人もある。若者1人に対して、高齢者が4人近い（国立社会保障・人口問題研究所推計）。

しかし発想を逆転して、3～4人の高齢者が1人の若者を支えると考えればどうか。社会保障などでは、たしかに1人の若者が3～4人の高齢者を支えるのだが、他方では、3～4人の高齢者が1人の若者を支え、お互いに支え合う。そうすれば若者の負担はプラスマイナスゼロになる。そういう発想ができないだろうか。つまり「ケアをシェアする」のである。

たとえば、あまり所得が多くない若者がいるとする。仕事や勉強のために都市部に住まないといけないが家賃負担が大変だ。他方、都心近くに広い土地と家を持って、1人で暮らしている老人はたくさんいる。こうした老人が、若者に自宅で空いている部屋を無料で貸す。隣のおばあさんは、若者に食事をつくってやる。自分1人分だけ料理をするより、おばあさんとしても張り合いがある。その隣のおじいさんは、大企業に勤めていた人脈を活かして、若者に仕事を紹介したり、仕事に役立ちそうな人を紹介したりする。若者の役にたてば、おじいさんたちもうれしい。

その代わり、若者は、老人たちのために買い物に行ったり、用を足したり、いろいろな手伝いをする。コンピュータを教えたり、スマホの使い方を教えたりする。そうすれば、あまりお金をかけなくても、4人が、生活の不便を解消したり、生きがいを持ったり、仕事にうまくありつけたりできる。若者と高齢者が、ささやかだが自分のできること、持っているものをお互いにシェアすることで、それぞれに足りないものを補い合い、自立していける。

こういう仕組みはパリで実現されていることがわかったし、近年京都市でも実現した。資料編のシェア金沢でも美大生がアトリエ付き住居に安く住める代わりに障害者や高齢者の手伝いをする仕組みになっている。

シェアハウスからシェアタウンへ

以上のような認識に立つと、第四の消費社会において、企業や行政、或いは市民自身がどうしていくべきか、その原理、原則は、おのずと以下のようなものになるだろう。

1　ライフスタイル、ビジネス、まちづくりなど、社会全体をシェア型に変えていく。
2　人々が、プライベートなものを少しずつ開いていった結果、パブリックが形成されていくことを促進する。
3　地方独自の魅力を育て、若い世代が地方を楽しみ、地方で活動するようにする。
4　金から人へ、経済原理から生活原理への転換を図る。

このように、それぞれの家が、自分の家のどこかを少しずつ開いていくことで、それらの家々のあるまちが全体としてシェア的なものになっていく、その状態を私は「シェアタウン」と名付けたい。そして、シェアタウンができていくと、必然的にシェア社会が具体的に実現されていくだろう。

家をシェアハウスとして個人に対して開くだけでなく、まちに対しても開く。空いている部屋、使わない茶室、庭など、自分がこれならシェアしていいと思うものを、不特定の人々に開く。プライベートの最たるものである家を、一部だけでもみんなに開放することで、プライベートな空間がパブリックな場所になっていくのである。

それぞれの活動は点でも、多くの点がつながることにより、点は線になり、面になって、まち全体に広がっていくのである。それは、役所、官が主導するパブリックではない。市民ひとりひとりがプライベートを少しずつでもみんなに開くことによって生まれるパブリックである。これこそが「新しい公共」である。資料編の事例の中にも「新しい公共」はたくさん感じられるであろう。

シェアと公共性

人々が市民として公共性を担えるようになると、行政は負担が減るだろう。財政難で「小さな政府」を目指す時代には市民が成長したほうがよい。

しかし、困るのは企業である。新商品を使い捨てる消費者が減り、すでにあるものを活かして、新しい価値を生み出す人々が増えると、物が売れなくなるからである。私がシェアの話をしても、それだと物が売れなくなるという懸念を表明する企業の方が多い。たとえば自動車メーカーの人に「三浦さん、シェアはいいけど、クルマが売れなくなりますよ」と言われたことがある。だが、彼は「三浦さんの本は今、部内で回覧しています」とおっしゃる。私の本はシェアしているのである（笑）。人間誰でも都合良く物を考えるのである。特に企業はコストカットにつながるシェアは大好きで、競合企業なのに物流をシェアすることもある。シェアリングエコノミーのシンボル的なものであるウーバーも要するに物流のシェアである。

しかし物流のシェアは企業側のコストカットでしかなく、もちろんそのぶん消費者もメリットを得るかもしれないが、私の考えるシェア社会とはあまり関係がない。

私の考えるのはもっと「創造的なシェア」である。そもそも人口が減り始めているのだから、ひとりひとりに物を売るというビジネスモデルを続けていても、長期トレンドとしては早晩売上げは減るしかない。そういう物売りビジネスはアジアやアフリカでやるしかない。

だが創造的シェアのビジネスは、むしろ超高齢社会の日本でこそ新しい市場を開拓できる。マイホームは買わないし、ワンルームマンションにも住みたくない人が、シェアハウスなら住みたい、買うなら中古住宅のリノベーションでというのなら、そこには明らかに新しい市場があるわけで、実際シェアハウス市場やリノベーション市場はこの15年確実に成長し定着した。

売り逃げからケアへ

物をつくって売り逃げをしていた今までのビジネスに慣れた企業からすると、シェア型のビジネスは手間暇がかかり、利幅が少ないと思えるだろう。また、そういう手間暇がかかる作業自体を好まない社員も多いだろう。

私は、シェア型のビジネスの時代には、女性の活躍の場が増えると思う。男性は（というか経済効率主義だと）つくりっぱなしの売り逃げをしがちである。女性はどちらかと言うと、つくったものをケアする仕事が得意（あるいはその仕事を期待されてきた）であると思うからだ。子育てなどはまさに総合的なケアである。職人がたくさんいた時代には男性も機械を修理したり、丁寧に料理をしたり、ケア的な仕事をしたのだが、仕事の機械化・自動化が進んだり、修理するより新品に買い換えたほうが安い時代になると、男性の仕事からケア的な仕事が減ったとも言える。

もちろん、女性は物をつくらずにケアだけすればいいと言う意味ではまったくないが、重要なのは、シェア型のビジネスにおいては、つくった物をケアする（維持管理・修理する）、人をケアする、売った後も買った人と頻繁にコミュニケーションして（ケアして）新たなニーズを見つけ出して対応するという仕事が重要になるということであり、その意味で、丁寧で面倒見の良い人の活躍の場が増える可能性が高いということである。男性でもケアの仕事が好きな人はシェア時代向きであろう。

私はアナログのオーディオが好きで、故障すると修理しながら使っている。インターネットを使うと修理してくれる会社が見つかる。沖縄の業者に頼んだこともある。現役時代はオーディオ会社に勤めていた人たちが会社を作っている例もあるようである。

現役時代にたくさん売上げ・利益を上げる必要があるときには、こうした修理作業は儲からないのでできない。だが現役引退後、本当に好きなオーディオとかカメラとか自動車とか衣料品などのために働きたいと思う人たちが、こうしたケア的な仕事をして過ごせるというのは素敵なことであろう。

リスク社会

もう一つ提案したい視点は、「リスク社会」という視点だ。イギリスの社会学者で、アンソニー・ギデンズという人がいる。かれは『第三の道』という著書で、現代社会はリスク社会であると言っている。

たとえば現代の結婚は、夫だけでなく妻も浮気をするかもしれないリスク（映画『ドライブ・マイ・カー』のように）、夫のDVだけでなく妻も夫にDVをするかもしれないリスク（注）、離婚して慰謝料を払わなければならなくなるかもしれないリスク、シングルマザーになるリスク、それらのリスクを回避するために仮面をかぶって生きるリスクなどなどを想定しなければならない。かつては安心のためのものだった家族も、離婚しなくても子育てにお金がかかる、義理の親の介護をしなくてはならないなど、たくさんのリスクを抱えている（第3章参照）。

また現代は情報社会なので、自分の生活圏から遠く離れたところで起きた事件も、自分の生活に対する脅威として感じられる。もちろん物流の進歩によって日本中、いや、世界中が緊密に結び付いている現代社会では、たしかに地球の裏側で起きたことも、明日には自分の身の回りにやってくる。鳥インフルエンザもコロナもウクライナ侵攻もそのひとつである。自分の家とはまったく遠く離れたところで起こったことにも、われわれは恐怖をもって対処しなければならない。

あるいは地下鉄サリン事件も9・11のテロも、われわれの生活に多大な影響を与え、ビルはセキュリティカードがないと入れなくなるなど生活を変えた。今ならもちろんコロナである。社会全体で恐怖を感じている。未知の感染症だからということもあるが、今の生活を脅かされることに我々は異様に敏感になっているし、それをメディアも煽っている。

天気予報の大雨や大雪の情報もそうで、あすは大雨だ、大雪だ、注意しろ、滑って転ぶな、川に近づくなとものすごい警戒情報を発しているが、実際はたいした雨も雪も降らないことは多い。大したことはないと予報して大したことがあったら文句を言われるから、大変だ、大変だと言うだけなのである。視聴者に文句を言われることがメディアにとっての最大のリスクだからだ。

あるいはこうした危機をあおる情報によって、「個人化」する社会をふたたびまとめ上げようという意図が誰かにあるのかもしれない。中国や北朝鮮の脅威論も一緒で、「個人化」しバラバラになった国民を1つにまとめ上げるのは、今や対外的な脅威しかないかもしれない。あとはスポーツイベントくらいであろう。

物質的にはかなり満たされているにもかかわらず、むしろそれだからこそ、人々のあいだにはつねに将来への不安が頭をもたげ、生活を脅かすリスクが切迫感を持っているのである。このリスクへの不安こそが、現在の消費を妨げる大きな要素である。同時にリスクへの不安こそが消費の主役になったのだとも言える。

若い人たちにとっては、将来年金が十分もらえないというはっきりした不安がある。40代になれば両親や義理の両親がいつ病気や認知症になるかが不安だ。そのうえ子どももいれば、教育問題など子どもの将来も不安だ。所得の面でも、年功序列は過去のものとなり、40代を過ぎて年収が上がる見込みはない。また初任給から2倍以上差の付く給与体系に変わりつつある。

未婚者は不安がないかというと、結婚しないまま年を取る不安はある。30代の未婚女性は、子どもを産まないことによって婦人病にかかりやすくなるともいわれている。

また年金支給年齢はどんどん上昇し、75歳から支給していいならたくさん支給するぞ、つまり75歳までは元気で働けと国は言う。それまで健康でいられるか不安になる。だから健康食品の消費者は過去20年で低年齢化している(拙著『コロナが加速する格差消費』参照)。

注　カルチャースタディーズ研究所「中高年男性調査」(2010)によると、離婚した男性(1都3県、40〜64歳230名)の離婚を考えたきっかけは「自分の浮気」15・7%、「妻の浮気」11・3%、「妻の金づかいの荒さ」14・8%、「妻の自分への暴力」2・6%、「自分の妻への暴力」2・2%であった。(三浦展『妻と別れたい男たち』)

「総合ケア産業」「総合リスク対応産業」

こうしたリスク社会の進展の中で、伸びているのは旅行、娯楽、散策などの時間消費、健康消費、癒やし消費などだと言える。健康消費と癒やし消費は明快にケア消費であり、時間消費も精神的なケア・癒やしという意味を持っていると言える。

もちろん健康の基本である食生活に関する産業が、単なる食品メーカーから健康産業に変わってきたことは言うまでもない。日清食品は「完全栄養食」企業を目指すようだし、味の素は本来は化学調味料のメーカーであるが、今は健康創造企業だと言える。オリンピックのときも大活躍だったようにアスリートの健康管理も得意分野だ。サッカー場が味の素スタジアムであるのは、味の素がアスリートの体をつくり、健康を管理する会社だということだ。今後はますますあらゆる食品メーカー・製菓会社・外食産業などが健康創造企業・ヘルスケア企業を目指すだろう。

このように、リスクやリスクマネジメントというと国の安全保障や大災害、あるいは大企業の危機管理など、非常に大きな事象を思い浮かべるが、実はわれわれの個人生活にも、健康管理、資産管理など、リスクマネジメントの視点は広がっている。そのリスクをどの

西川 HPより

ように軽減するか、ケアするかに人々の目がどんどん向いてきたのである。

また大型雑貨店ロフトは1987年、渋谷店の開店時は他の店にはないような珍しい雑貨が無数にあり、あたかも「世界雑貨ミュージアム」とも言うべき店で、女子高生たちでごったがえしていた。

そのロフトの2002年ごろの顧客の平均年齢は30歳前後だった。つまり渋谷ロフトの開店当時に高校生だった世代だ。だが30歳になった彼女たちが買うのはロフトが「健康雑貨」と呼んでいる商品群に変わっていた。スキンケア、ヘアケア、ネイルケア、さらには枕やマッサージ器などのヘルスケア商品だ。それらの「健康雑貨」が当時のロフトの利益を支えていた。おそらく今もそうだろう。

ふとんや枕も今は寝具というより健康雑貨である。大谷翔平や浅田真央や三浦知良らのアスリートが広告に出て、彼らの活躍を支えるのが心身の疲れをとる寝具であると宣伝する。第三の消費社会のシンボルであるパルコも心斎橋店では医療モールをつくった。こうしたことからあらゆる商品がケアを提供する時代になっていることがわかる。

ロフトと同じように80年代の渋谷では東急ハンズが大人気だったが、今やカインズに買収された。東急ハンズは「東急ヘルス」のような方向に業容転換を図るべきだったのだろう。

80年代にセゾングループが唱えた「生活総合産業」という言葉が当時は他の企業でももてはやされたが、これからは「ケア総合産業」あるいは「リスク総合対応産業」が中心になると思う、という2002年の私の考えは今も変わらない。

女性は「癒やし志向」から「強さ志向」へ

近年はスポーツジムに通う人が非常に増え、特に女性では20年前から見ると非常に増えた。治安の良い日本では夜中にジョギングをする女性も多い。私はこうした動きから健康志向が「癒やし志向」から「強さ志向」に変わったと考えている。

「癒やし」「ヒーリング」という言葉は1990年代に流行り始めて今も使われている。

主に女性が仕事などの疲れを取るためや、美容のための、エステサロン、温泉などが具体的な癒やしビジネスだった。

２０００年代に入ると、女性が高学歴化し、企業の前線で男性と同じように働く女性が増え、残業をたくさんする人も増えると、男性中心だった分野に女性が増えてきた。そのひとつがスポーツジムに通うとか筋トレをするといった動きである。これは癒やしというより、強さ志向である。男性に負けずに働く体の強さを求めているのである（逆に最近は若い男性も「癒やされた～」などと言うので私などはびっくりすることがある。男女が接近、均質化している）。

私は心の疲れはあくまで心の疲れだろうと思っていたが、あるとき若い女性タレントがラジオで「体が強ければ心は疲れない」と言っていた。それを私は信じなかった。しかしまたあるとき、バレエの草刈民代もラジオでそう言っていた。草刈民代がそう言うなら私は信じる（笑）。そうか、心が疲れないためには、疲れない体をつくったほうがいいのか。それで私も少し筋トレを始めた。それで心が疲れなくなったかどうか検証はしていないが、そもそも体が強くなること自体はいいことである。

またあるとき、ヨガのインストラクターをしている女性の話を聞いた。彼女に学びに来る女性たちは「ひとりで生きていくと決めた人が多い気がする」と彼女は言った。なるほど！と私は感心した。

女性がひとりで生きていく。今では当たり前だが、50年、60年前なら、女性がひとりで生きていくのは無理、男性の支えが必要だと言われていた。当時の映画を見れば、そういう台詞がしょっちゅう出てくる。

もちろん「女性がひとりで生きていく」には男性以上に努力が必要だ。男性以上に勉強し、男性以上に体を鍛える必要があるということなのだ。そういう心理が女性を（特に若いキャリア志向の女性を）ジムやヨガに向かわせるのである（筋トレをする女性については拙著『露出する女子、覗き見る女子』参照）。ｍｉｆによると、筋トレやヨガを行う女性は25〜34歳女性全体では７・５％なのに年収６００万円以上では20・４％である。

この20数年、日本が震災、台風などの激甚災害に何度も襲われていることも、強さ志向を促進しているだろう。がれきの下敷きになっても這い出す体力が必要だと感じるからだ。ロシアのウクライナ侵攻も、国家だけでなく個人の強さも必要だと感じさせるであろう。もちろん親などの介護に筋力が必要という理由もある。癒やしだけでは済まない時代なのである。いずれにしろ心と体と生活と人生の総合的な強化とケアが今後ますます求められるだろう。

2−5　第四の消費の定常化あるいは縮小？

シェアハウスやリノベーションは増えたが、今後は微妙

第四の消費の最大の特徴はシェアである。その典型がシェアハウスである。m・ｉｆを見ても、ルームシェアやシェアハウスに住む人が過去10年で増えている。図で「あてはまる」と回答した人が実際にいわゆるシェアハウスに1年間は住んでいる人だと私の過去の研究から推測される。「ややあてはまる」は1年のうち数ヶ月をシェアハウスに住んだ人か、ルームシェアをしている人だろう。20代男女ではかなりシェアハウスやルームシェアで住む人が増えたことがわかる（未婚に限っても数字はほぼ同じだった）。

建築研究所の２０１４年の「賃貸集合住宅の防犯に対する女性の意識調査」でも、シェアハウスに住みたいかを尋ねた質問で24歳以下の単身女性の13％が「そう思う」、29％が

シェアハウスなどの住み方は20代に定着した

図表2-5-1　20代で現在ひとつの住宅に家族以外と共同して住む（ルームシェアやシェアハウスなど）人の割合　2011－21年の推移

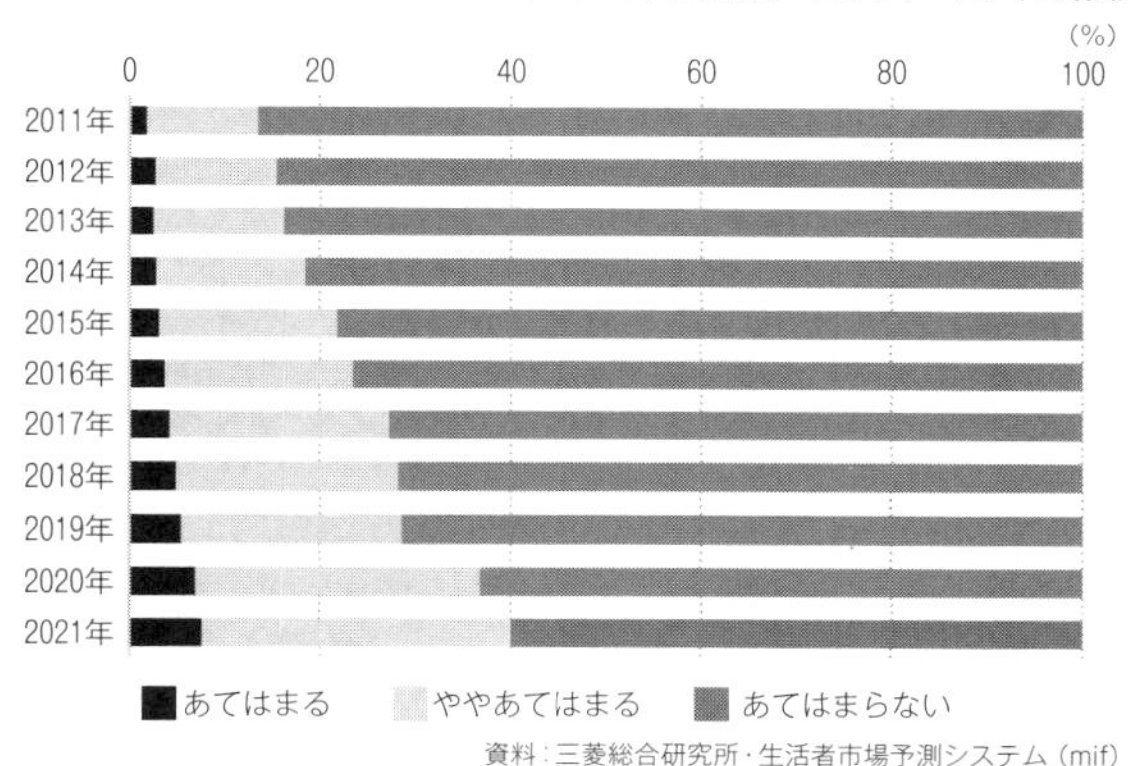

資料：三菱総合研究所・生活者市場予測システム（mif）

シェアハウスなどに今後住みたい若者は伸び悩んでいる

図表2-5-2　20代で将来ひとつの住宅に家族以外と共同して住みたい（ルームシェアやシェアハウスなど）人の割合　2011－21年の推移

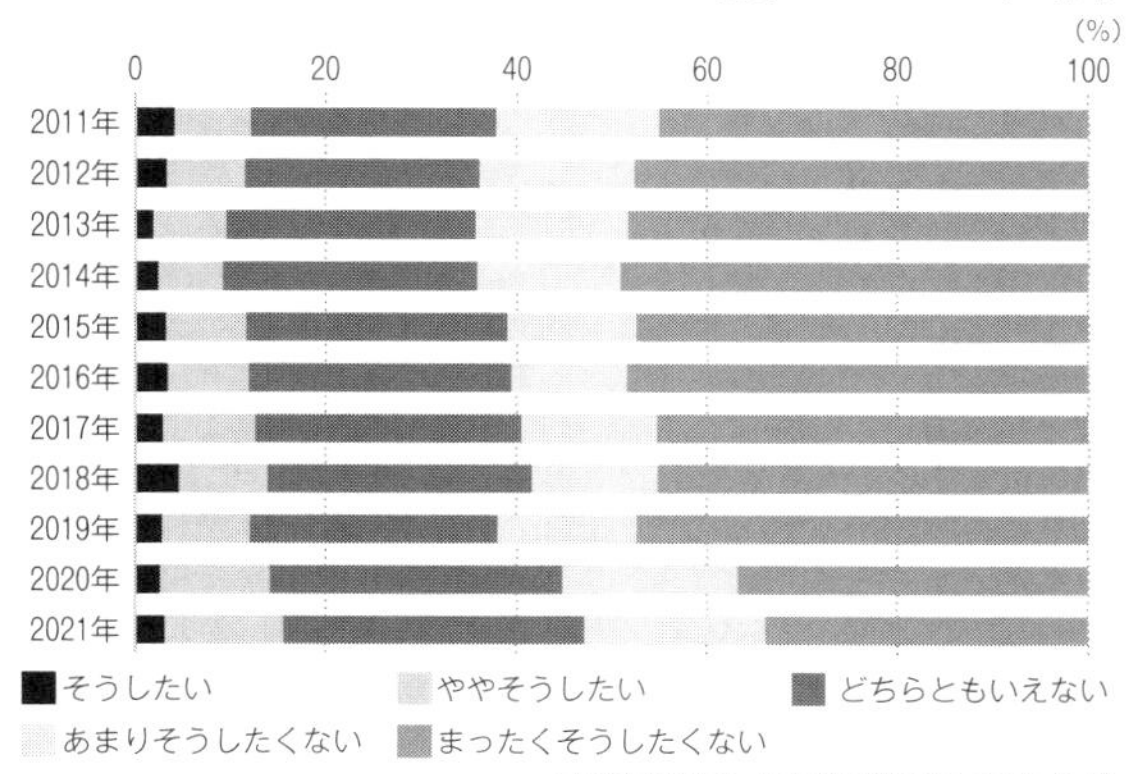

三菱総合研究所・生活者市場予測システム（mif）

年収が高い若者ほどシェアハウスなどに住んでいる

図表2-5-3　25~34歳男女・年収別　現在ひとつの住宅に家族以外と共同して住みたい（ルームシェアやシェアハウスなど）人の割合

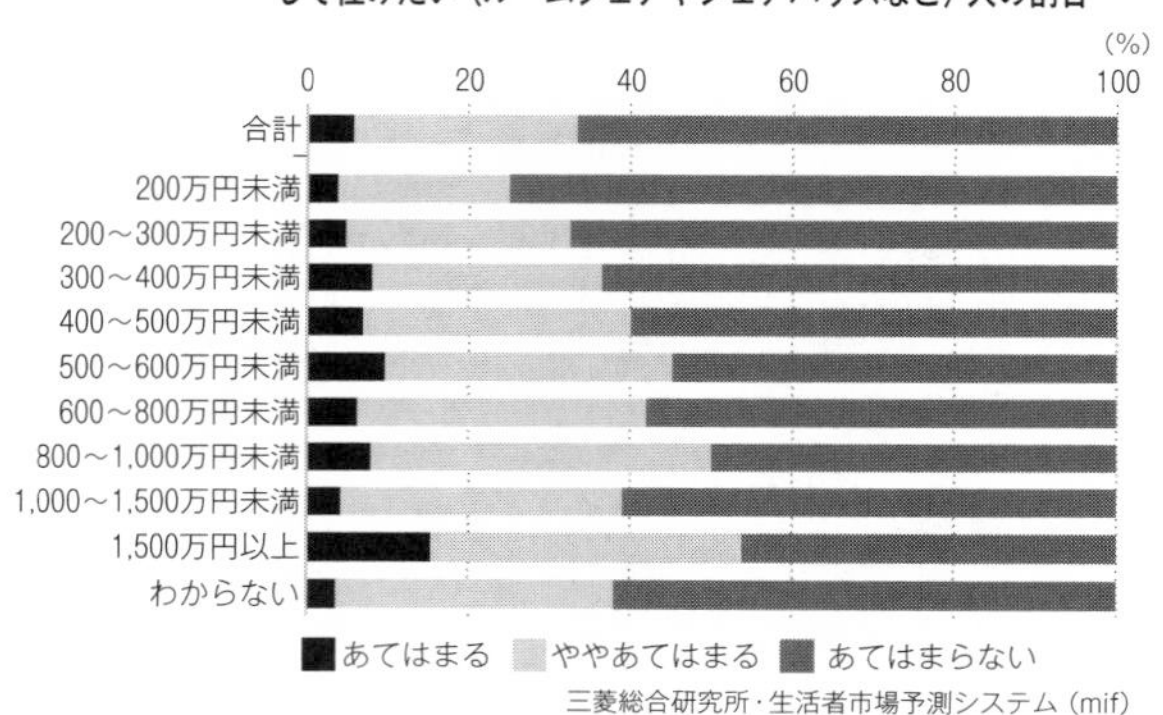

三菱総合研究所・生活者市場予測システム（mif）

シェアハウスの物件数は頭打ち

図表2-5-4　全国におけるシェアハウス物件数の推移（2021年版）

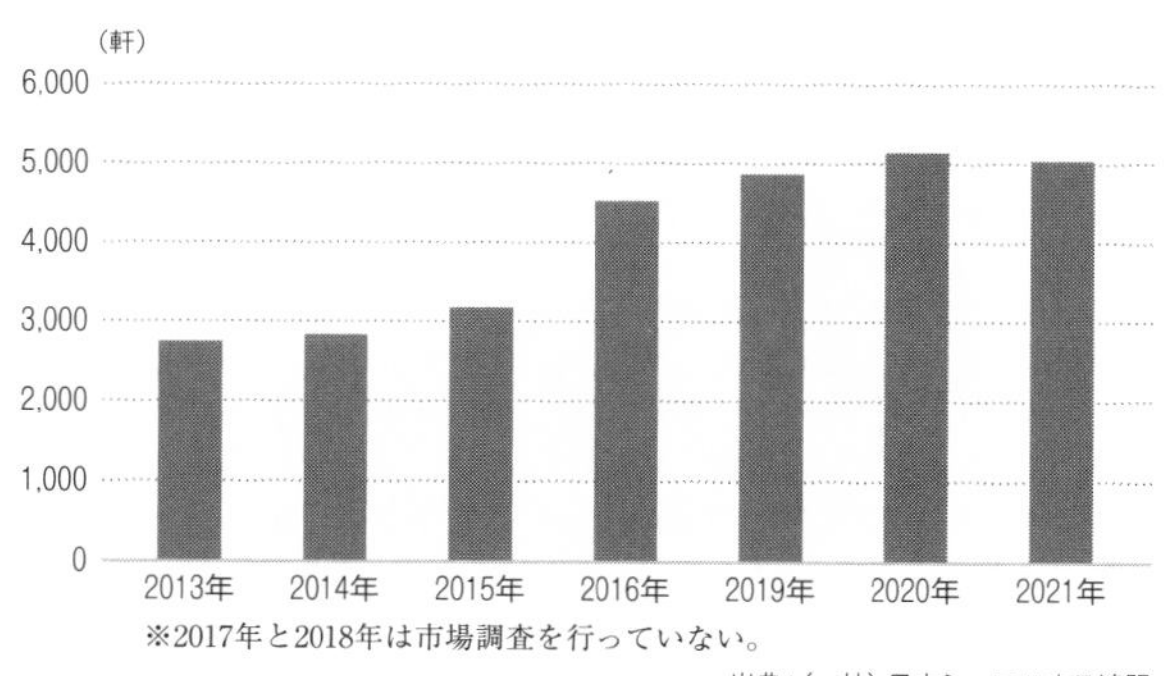

※2017年と2018年は市場調査を行っていない。

出典：（一社）日本シェアハウス連盟

「ややそう思う」と回答していた。女子中高生の母親（40－44歳）も10％が「そう思う」、30％が「ややそう思う」と回答しており、単身女性も母親もほぼ4割がシェアハウスに積極的だった。その数字と、現在の25～29歳の6％が「あてはまる」、28％が「ややあてはまる」という数字とはかなり一致すると言えるのではないだろうか。

シェアハウスに住む人が増えたのは経済的理由かもしれないと思い、在学者の少ない25－34歳について見ると年収の高い若者のほうがシェアハウスに住む傾向があり、経済的理由だけでは説明できない。シェアハウス業界の調査でも、近年（コロナ前だが）シェアハウス住人の年収は上昇傾向にあった。当初は年収の低い人向けが多かったシェアハウスだが、しだいに年収が高い人も多く住むようになったようだ。

一方、今後の意向については「そうしたい」「ややそうしたい」が２０１１年から21年まであまり増えていない。シェアハウスが舞台のリアリティショーで出演者の女子プロレスラーがいわれのない中傷によって自殺したという事件もシェアハウス人気に影を落とした可能性もある。日本シェアハウス連盟の調査でも、全国のシェアハウス物件数は２０１9年以降伸び悩んでいる。

リノベした中古住宅に住むことは若者に定着した

図表2-5-5　20代　現在古い建物を改修して新しくよみがえらせた住宅（リノベーション住宅）に住んでいる　2011－21年の推移

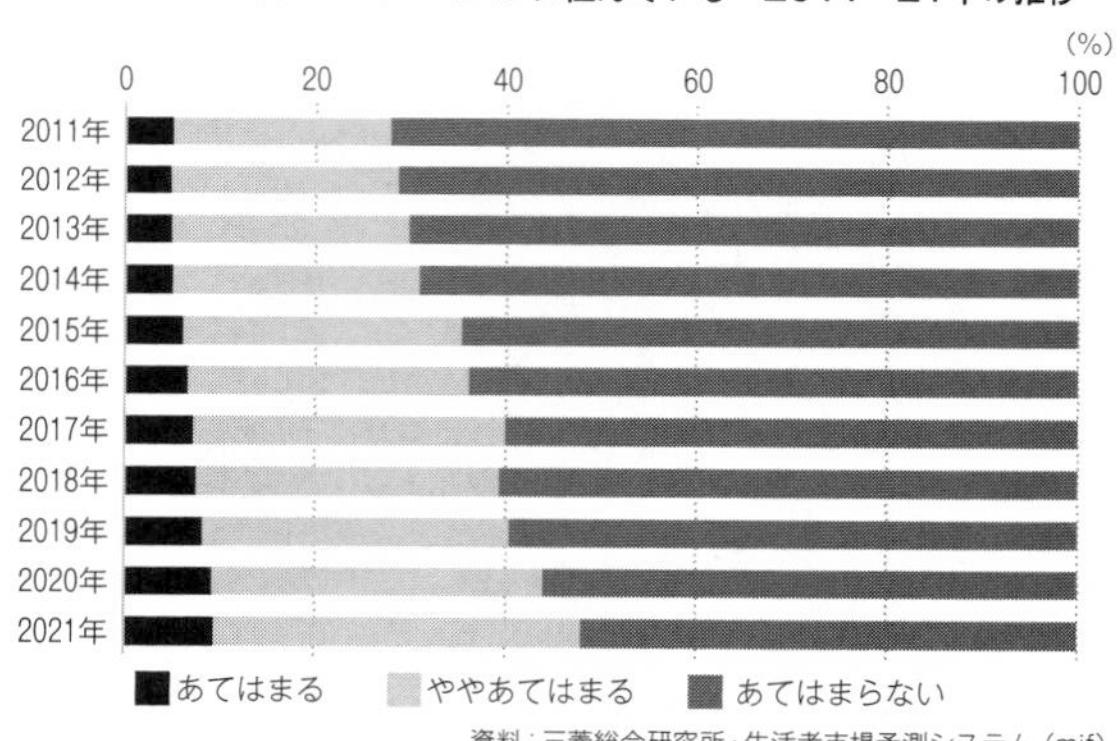

資料：三菱総合研究所・生活者市場予測システム（mif）

マンネリ化したリノベ

シェアハウスと同様にリノベーションも第四の消費的な住まい方である。新しい物をどんどん買い換えていくのではなく、古い物を活かしながら新しい価値を与えていく行為だからである。

これもｍｉｆで「現在古い建物を改修して新しくよみがえらせた住宅（リノベーション住宅）に住んでいる」について見ると20代から40代で増えており、特に20代では「あてはまる」「ややあてはまる」が２０１１年から21年までかなり増えてきている。

しかし「今後古い建物を改修して新し

リノベした中古住宅に今後住みたい若者は減ってきた

図表2-5-6　20代　今後古い建物を改修して新しくよみがえらせた住宅（リノベーション住宅）に住む　2011－21年の推移

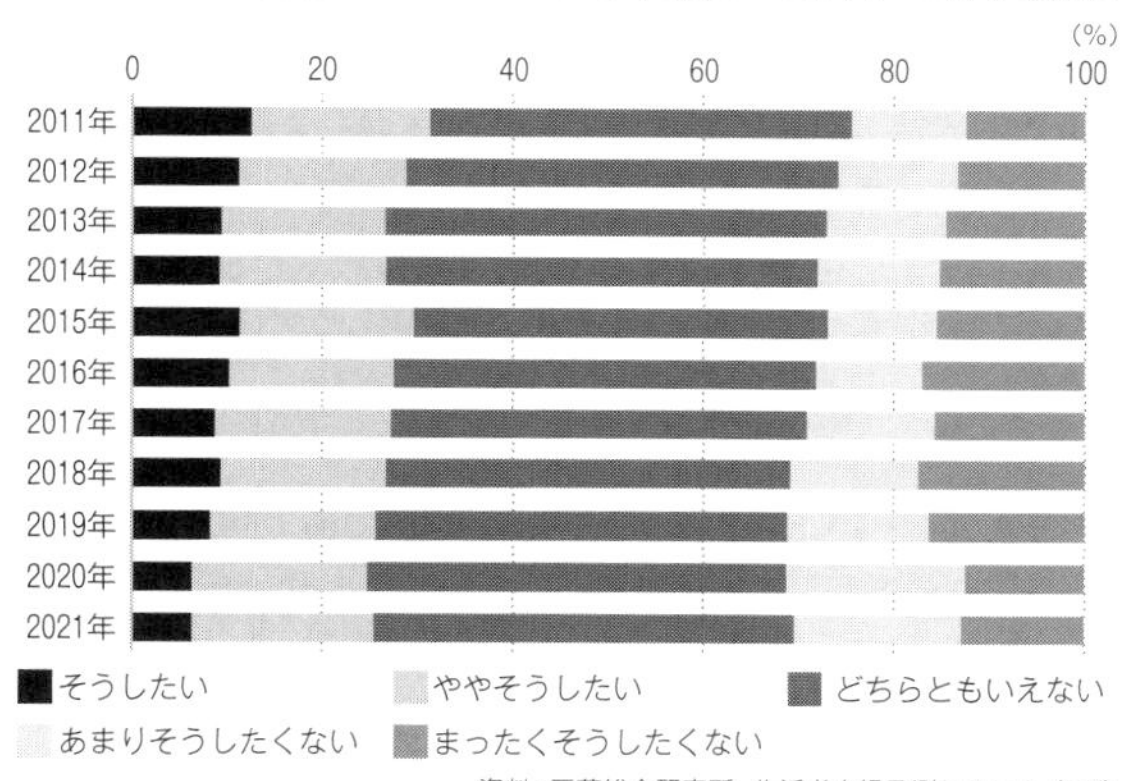

資料：三菱総合研究所・生活者市場予測システム（mif）

くよみがえらせた住宅（リノベーション住宅）に住む」については20代でも「そうしたい」「ややそうしたい」が2011年から21年まで漸減している。

旧知の不動産業者の話を先日聞いたところ、古いマンションをセルフリノベーションして住むことに関心を持つ若い顧客が減っているという。フツーにイマドキの部屋でいいらしい。スマホ世代はリアルな部屋への関心が薄いのかもしれない。ヴァーチャルな空間での快感にはかなわないのかもしれない。

たしかにリノベーションもあまりに一般化してしまい、15~20年前の衝撃はない。リノベーション住宅に住みたい人はすでに実際にそれを実現してしまい、その後はあまり関心事になっていないようである。そもそもリノベーションはもっと自由な発想で空間を作り替えるものであったはずなのに、近年は「こうすれば、リノべっぽいよね」という程度の量産化されたリノベーションマンションばかりが増えて、すっかりマンネリズムに陥っている。逆に今の若者にとってはそのマンネリズムくらいでちょうどよいのだろう。

だからへそ曲がりの私などは、そんなマンネリ化したリノベをされた家に住むより、いっそのこと1970年代のダッサーい部屋にそのまま住む方がかえって潔いというか、かっこいい、すがすがしいという気すらしている。昔の木造アパートで畳敷き四畳半にそのまま住むのがまったくおかしくないように、70年代の変に洋風化したダサいマンションにあえて手を入れず、これも面白いね、新しいねといって住むほうがかえって気分がいいのかなとすら思うのだ。

つながり重視の価値観が減少

2010年代前半から後半にかけて第四の消費的な価値観・行動が減少する傾向もある。

第四の消費を最も特徴付けるのは人とのコミュニケーションを大事にすることであるが、家族や近所の人との付き合いを重視する傾向は減っており、特に20代は大きく減っている。

内閣府の「社会意識に関する世論調査」にも社会志向の衰微傾向が表れている。『大下流国家』でも書いたので図は省くが、「国や社会のことにもっと目を向けるべきだ」（社会志向）という意見と、「個人生活の充実をもっと重視すべきだ」（個人志向）という意見のどちらに近いか聞いた質問では、２０１１年から「国や社会」と答えた者の割合が減り、20年は44・８％、「個人生活」は13年から増えて20年は41・１％となり両者がかなり接近している。

変遷を見ると、１９８５年から２００９年まではおおむね「社会志向」が増える傾向にあったが、２０１１年以降は「社会志向」が減り、13年から「個人志向」が増えて、「社会志向」と「個人志向」が近年はほぼ同率になってきているのである。

年齢別に見ると、「個人志向」は18～24歳から40代で高くなっており、２０１１年からの増減を見ても、若い世代ほど「社会志向」が減り、「個人志向」が増加している。

家族関係や近所との人間関係を重視する若者は減っている

図表2-5-7　20代　家族との信頼関係やふれあいを大切にしたい人の割合　2011－21年の推移

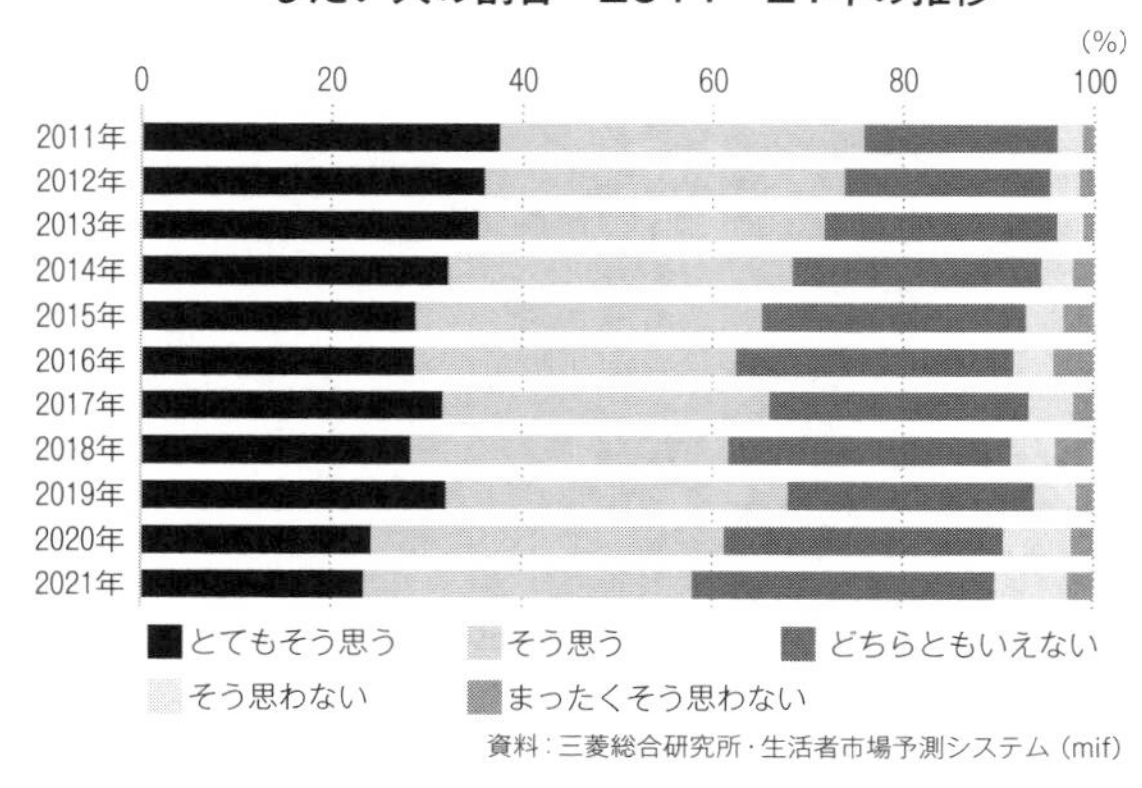

資料：三菱総合研究所・生活者市場予測システム（mif）

図表2-5-8　20代　近所の人との信頼関係やふれあいを大切にしたい人の割合　2011－21年の推移

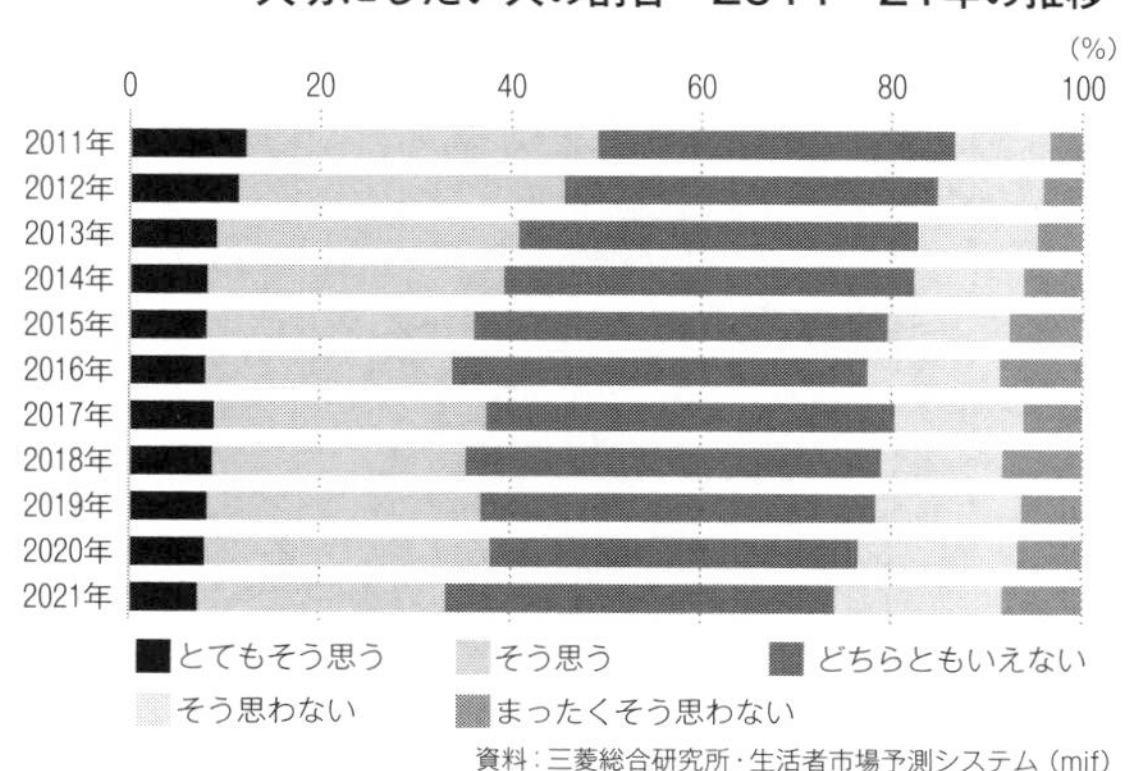

資料：三菱総合研究所・生活者市場予測システム（mif）

生きるだけで精一杯の若者は社会を変えたい人がゼロ

マスメディアなどではまさに2011年の東日本大震災以降「つながり」「絆」という言葉が流行し、それらをテーマにした番組が今でも多い気がするが、社会意識としてはむしろ2011年以降「社会志向」は減り、「個人志向」が増えているわけだ。これは不思議である。現在の20代が11年の東日本大震災のときにまだ子どもだったという影響もあるかもしれない。

メディアは、社会志向が減っているとわかっていて、でも減っては困ると思って「つながり」「絆」を強調しているのか？　そこまで高度な分析をして企画を考えているメディアがあるようにも思えないが、どうなのだろう。逆に、視聴者のほうが、メディアがあまりに「つながり」「絆」をあおるので、それらに飽き飽きしてきたのかもしれない。あるいは、下流化した生活の中で、社会や他人のことなどかまっていられない、自分のことだけで精一杯だという人が増えたのかもしれない。

2020年に私が行った「下流社会15年後調査」（全国25～54歳対象）で「毎日を生きるだけで精一杯である」と回答した人は「あなたは人生において何をいちばん大事な価値観

として暮らしていますか」という質問で「社会をできるだけ正しい方向に変えていくこと」を選んだ人は1・6％だけであり、それを選ばなかった人の3・6％と有意に差があった。特に25～34歳の男女では「社会をできるだけ正しい方向に変えていくこと」を選んだ人はゼロであった。一方、「自分の好きなことを優先して毎日楽しくいられること」を選んだ人は50・4％であり、私生活志向が非常に強い。いわゆる革新政党が力を持っていた時代は「毎日を生きるだけで精一杯である」人ほど「社会をできるだけ正しい方向に変えていくこと」を選択したはずであるが、現在はそれが逆なのである。これはつまり諦めの境地ということであろうか。

シンプル志向・日本志向の弱まり

第四の消費の第二の特徴はシンプル志向であるが、無駄な出費をしないとか、流行より機能とか、シェアして済ますといった項目は減少している。

他の年齢層でも減少はしているが減少幅は少ない。たとえば60代では「無駄な出費をしない」は60代は27％から24％に、「流行より機能」は23％から19％に減っただけである。

10年前の若者は曲がりなりにも子ども時代のバブルやその余韻を感じて育っているから、

浪費をしたくない・機能重視の人が減っている

図表2-5-9　むだな出費はせずに、本当に必要なことだけにお金を使いたい人の割合　2011－21年の推移

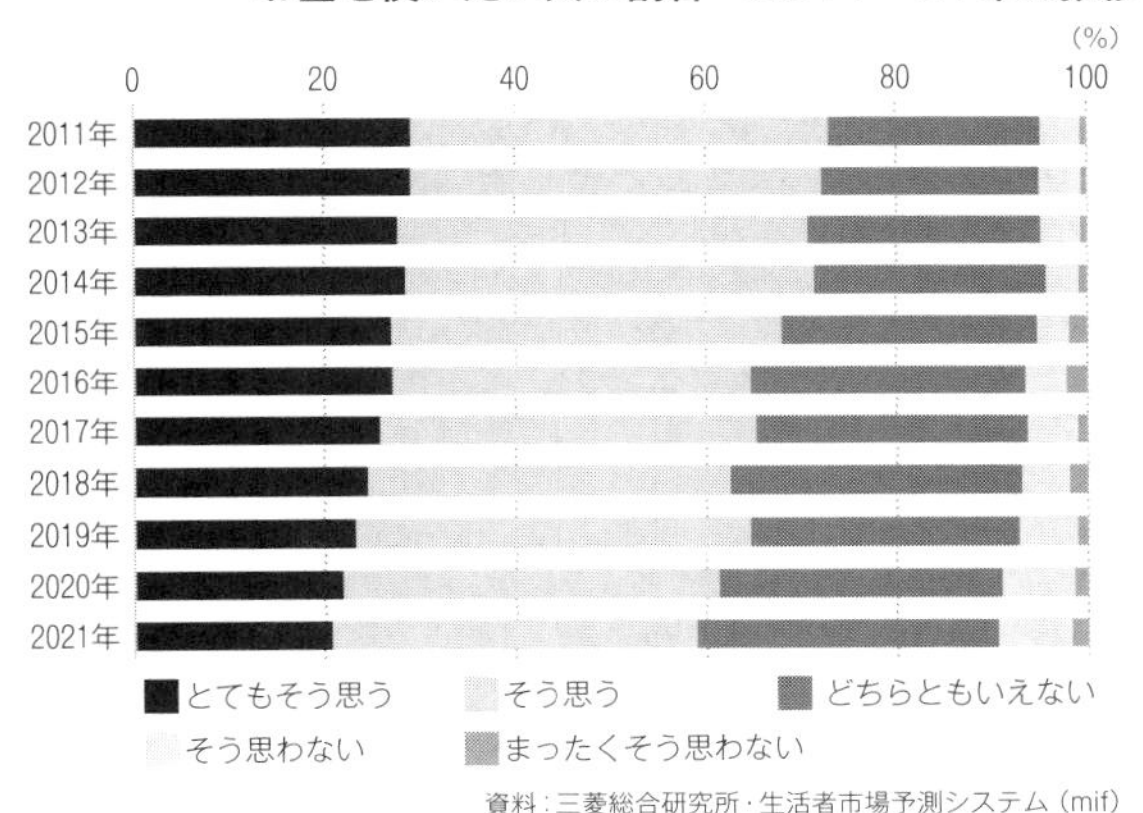

資料：三菱総合研究所・生活者市場予測システム（mif）

図表2-5-10　流行よりも機能性を重視した商品を買いたい人の割合　2011－21年の推移

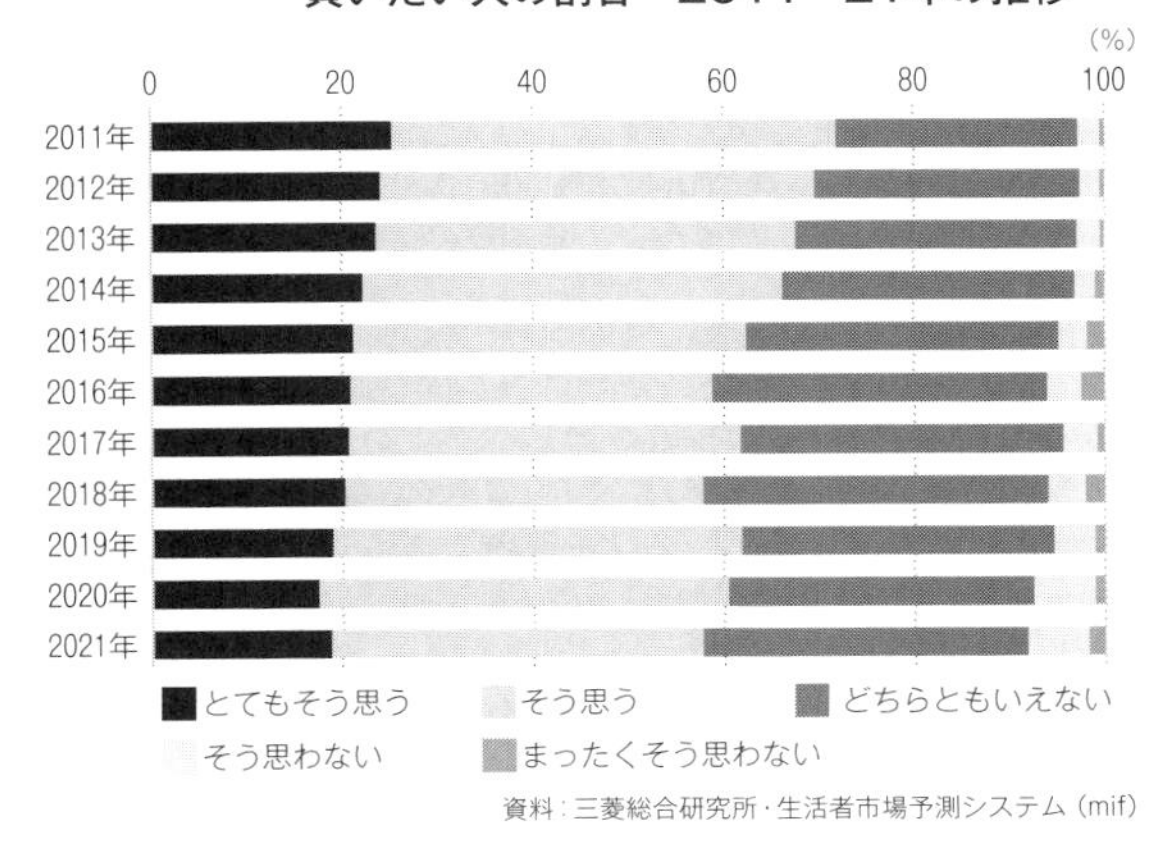

資料：三菱総合研究所・生活者市場予測システム（mif）

シンプル志向になることに新たな生活価値を感じうるが、現在の若者は失われた30年しか知らないので元々生活はシンプルであり、今更これからシンプル志向になりようもない。むしろ、バブル時代を体験してみたいという考えになるのかもしれない。

第四の消費の第三の特徴は日本志向であるが、日本で誇りに思うことについては、日本固有の伝統的な文化、風光明媚な自然・景観は11年から18年に10ポイント以上減少している。

たしかに私もこの10年あまり、国立博物館などで琳派、若冲、等伯などの日本画の展覧会をたくさん見てきた。どれもこれも素晴らしいものであったが、最近はさすがに飽きた。五輪に向けての国威発揚が激しくなると、さらにげんなりした、ということもあって、伝統文化の再評価もこれくらいで終わりかという気分になったことは確かだ。

また国民性としての日本らしさである「勤勉」「礼儀正しさ」も10ポイント以上減少。工業製品に代表される高い品質水準、匠の技にいたっては半減近い。逆に「誇りに思うことはない」はほぼ倍増である。

こうした中、一貫してあまり増減していないのはコンビニ、100円均一ショップ、外食チェーン等の消費者向けサービス業の高いオペレーション（店舗運営）水準であり、18

日本への誇りは弱まり、コンビニ・ファミレスの評価だけが下がらない

図表2-5-11　25〜34歳　日本で誇りに思うこと

	2011年	2012年	2013年	2014年	2015年	2016年	2017年	2018年
人　数	6645	6500	6679	6502	6304	6238	6097	6034
歴史的建造物・美術品や伝統芸能等に代表される日本固有の伝統的な文化	36.9%	**38.8%**	36.1%	34.9%	32.0%	30.5%	29.6%	**24.5%**
四季の織り成す変化に富んだ風光明媚な自然・景観	50.5%	**51.9%**	49.9%	47.1%	42.6%	41.6%	40.6%	**36.8%**
礼儀正しく、親切心・人情味のある国民性	45.8%	46.0%	**48.7%**	48.6%	43.0%	39.6%	41.3%	**35.0%**
律儀で勤勉な国民性	32.3%	31.2%	**34.0%**	33.3%	28.3%	25.4%	23.4%	**21.1%**
国全体に行き渡った高い教育水準	18.5%	17.9%	21.0%	**23.2%**	19.7%	17.9%	16.6%	**14.3%**
ノーベル賞受賞者輩出に代表される高い先端科学技術の水準	18.9%	18.2%	**20.7%**	16.9%	17.0%	16.0%	15.2%	**10.6%**
世界的にみて高い経済力、国民の経済水準	21.7%	21.1%	**23.9%**	23.1%	20.1%	16.7%	16.5%	**14.6%**
工業製品に代表される高い品質水準、匠の技	**38.6%**	38.4%	38.1%	35.9%	30.2%	28.2%	29.0%	**21.8%**
コンビニ、100円均一ショップ、外食チェーン等の消費者向けサービス業の高いオペレーション（店舗運営）水準	33.7%	35.1%	38.6%	37.0%	34.2%	34.3%	37.0%	33.8%
青年海外協力隊、国際緊急援助隊等に代表される人的な国際貢献	9.8%	9.4%	9.5%	10.0%	8.6%	6.5%	6.7%	5.8%
途上国への金銭的な支援活動（政府開発援助（ODA）など）	14.0%	11.3%	12.4%	11.5%	10.9%	8.3%	7.7%	6.4%
映画、小説、食文化、アニメ、アイドル、ファッション等、最近の日本の文化等	39.6%	41.4%	40.2%	40.6%	36.5%	35.3%	38.9%	34.0%
平和で治安の良い社会	47.0%	48.0%	52.7%	53.9%	47.5%	47.5%	47.9%	40.6%
平等で格差のない社会	7.3%	6.3%	7.1%	7.3%	7.1%	6.2%	6.1%	5.8%
誇りに思うことはない	11.9%	11.7%	**11.0%**	11.6%	15.9%	16.2%	13.5%	**20.2%**

資料：三菱総合研究所・生活者市場予測システム（mif）

年は34％である。「伝統文化」よりも多い。とても情けない結果である。

まあ、日本が好き、和食が好きといっても自分で急須でお茶を入れたことのない若者は珍しくない。急須の持ち方を知らない人を私はじかに見たことがあるし、お茶をマグカップに入れる人もいる。ティーバッグでお茶を入れる人もいる、ということで、何もかもコンビニ的である。ペットボトルでお茶を飲んで日本は良いなと思っていた人は多いのであり、結果、伝統文化への誇りが減って、コンビニへの誇りだけが維持されても当然だろう。

他の年齢層でも「伝統文化」や「自然・景観」は減少傾向はあるが、減少幅は少ない。60代では「伝統文化」は47％から43％に、「自然・景観」は67％から61％に減っただけである。また「礼儀正しさ」「勤勉」については減少傾向はない。

また60代では「コンビニ」は19％から29％に増えているが「自然景観」に比べれば半分程度であり、「伝統文化」「礼儀」「勤勉」よりはかなり少ない。

このように見てくると、第四の消費社会の最大の特徴であったシェア志向は一定の拡大と定着を見せたし、今後も減ることはなさそうであるが、しかしシェア志向よりも先に述べたケア志向のほうが拡大していきそうである。その意味ではケアのシェアが重要になることは間違いない。なぜかというと、シェア志向は共助志向であり、究極の共助的シェアはケアのシェアだからである。

しかしみんなが共助に関心を持ったり、時間を割いたりできるわけではない。基本的には自助が中心となるし、企業としてはひとりで自分をケアするための「セルフケア商品」をつくってヒットさせたいと思うので、あまり企業がもうけられないシェア型ビジネスよりもケア型ビジネスが拡大するのである。おそらくシェア型の事業・活動は、ケアがよりうまく機能するための人間的な手助けとして役割を果たすのだろう。

補

そして、そうなると第1章の消費社会の時代区分図をさらに修正しないといけないと感じられる。他の要素もいろいろ考えると、23年周期という中途半端な区切り方がしっくりくる。日中戦争から敗戦、復興、サンフランシスコ講和条約発効の1952年までは消費社会とは見なさないとして、他の時代を区分すると、23年単位で戦争、天災、経済危機などが訪れて社会の変化をもたらしている。

消費社会の変化は23年周期説で見るべきか

図表2-5-12　消費社会の時代区分その2

時代区分	第一の消費社会（1914～36）	第二の消費社会（1952～74）	第三の消費社会（1975～1997）	第四の消費社会（1998～2020）	第五の消費社会（2021～43）
担い手の世代	明治生まれ	大正・昭和戦前生まれ	団塊世代・バブル世代	団塊ジュニア世代	平成世代
社会背景	第一次世界大戦から日中戦争直前まで	高度成長からオイルショックまで	オイルショック バブル オウム事件 阪神淡路大震災	金融破綻 リーマンショック 東日本大震災	コロナ後 ウクライナ侵攻
政　治	帝国主義	民主主義 55年体制 一億総中流化	保守化 中曽根時代	民主党政権	アベノミクス 新自由主義と格差拡大 トランプ 日本維新の会
人　口	自然増 総人口4000万人から7000万人に 核家族化開始	自然増 総人口8600万人から1.1億人に 核家族化拡大 専業主婦急増	自然増の縮小 少子高齢化の始まり 総人口1.1億人から1億2600万人に 未婚率高まる	生産年齢人口・総人口減少開始 単身世帯が世帯類型で最多になる	人口減少拡大 離婚率35％
メディア・通信・交通	ラジオ　映画 新聞	テレビ　電話 自動車 高速道路 新幹線	パソコン	ｉモード スマホ	5G メタバース 自動運転
雑　誌	主婦之友	週刊誌 週刊少年漫画誌	カタログ雑誌（ポパイ、ノンノ、ＪＪなど）	クウネル リンカラン アルネ リラックス	
消　費	洋風化 欧米志向 文化生活 モダン	平等化 少品種大量生産 大きいことはいいことだ アメリカ志向	個人化 多品種少量生産 量から質へ 高級化	リアル志向 シェア志向 シンプル志向 日本志向 地方志向 低価格志向 嫌消費	ケア志向 強さ志向 ヴァーチャル化
価値観	国家志向	家族志向	個人志向	社会志向 地方志向 シェア志向	自己責任 個人志向
小　売	百貨店	スーパー	パルコ（ファッションビル） コンビニ	ショッピングモール アマゾン	アマゾン
都　市 住まい	丸ビル 帝国ホテル 田園調布	団地 郊外一戸建て	ワンルームマンション 地価高騰で郊外が極限まで拡大	シェアハウス 中古住宅リノベーション	地方移住
社会問題	貧困	公害・交通事故	地価高騰	ひきこもり ニート 孤独死	格差 シングルマザー 拡大自殺

資料：三浦展作成

人間は自由であるべきなのだ、多様性を認めるべきなのだ、という訴えはそれが正論であるだけに強い圧力で個人の行動を制約する。不自由なくらいがいいのに……と思う多様性は、そこでは認めてもらえない。すると、リアルな社会は自由を謳歌できる少数の強い人には居心地よく、そうでない多くの人には怖くて息苦しいものになる。ひょっとしたら、自由という博打は失敗したかもしれない。

岡嶋裕史『メタバースとは何か』

第3章

永続孤独社会

3-1 若者は日本をあきらめたか?

最近の事件から感じる孤独

コロナ前から近年、親は中流だが息子は中流になれない、昔なら中流になれた人が中流から落ちるという背景から生まれたと思われる事件が目立つ（「中流」と言って悪ければ「ごく普通の平凡な社会人」）。しかも舞台は郊外が多い。藤原新也ならきっと注目しそうだ。また自分が死にたいために他人を殺す「拡大自殺」も目立つ。多数ではないが、社会へのルサンチマンを持つ人たちが知らぬ間に増えているのかもしれない。

・2008年、大手自動車会社工場派遣社員25歳男性（82年生まれ）が、秋葉原の歩行者天国で自動車を走らせるなど17名を殺傷。

・2016年、神奈川県相模原市の障害者施設で元施設職員の26歳男性が施設に侵入して入所者19人を刺殺し、入所者・職員計26人に重軽傷を負わせた。「障害者には生きる意味がない」と話している。父は教員。本人も途中までは教員志望だった。

・27歳男性がツイッターで自殺希望者を集め、座間市にある自宅アパートで、若者など9名を殺害、バラバラにして部屋に放置。事件は2017年発覚。

・2019年5月、小田急沿線川崎市内に住む51歳のニート男性が有名私立小学校の親子数名を殺傷。親が離婚し伯父宅で育っており、いとこが入学したのがその小学校だった。

・2019年6月、上記事件を知って、練馬区の元農林水産省事務次官（76歳）が44歳のニートの息子が同じような事件を起こす前にという理由で息子を殺害。息子は両親に暴力をふるっていた。

・2019年7月、大手アニメーション会社・京都アニメーションが41歳の男性（78年生まれ）により放火され多数の社員が死亡。男性は少年時代にさいたま市在住。男性は埼玉県庁非常勤職員、コンビニ店員などをしていた。

・2021年8月、小田急沿線川崎市内在住の36歳男性が、小田急線車両内で無差別殺人を狙い、数名が重軽傷。「勝ち組の典型的な女性を殺そうと思った」と供述。青森県出身、中央大学中退、非正規雇用者。

・2021年10月、それをまねて京王線車両内で福岡県から来た20代無職男性が同種の事件を起こす。仕事や友人関係がうまく行かず死のうと思ったという理由。
※年齢はいずれも事件当時

コロナ禍が最も意識させた社会問題の一つはこのような「格差問題」であろう。非正規雇用者で解雇される人、自粛で売上・収入が減る人、低所得者ほど在宅勤務のできない仕事をしている傾向などがある。要するに、コロナを機に、日本人は（あるいは世界中の人々が）、

1）仕事を失ったり収入が減るなど一気に中流から落ちて物凄い不安に陥った人
2）雇用は守られたが売上・収入が落ちて不安になり消費をためらう人
3）何があっても安定しており、ほぼ安心して中流以上でいられる人

に、はっきりと分かれているという事実が判明したのだ。

おそらく「1」に当たる人々の中で自殺をする人が増えており、2020年の日本の自殺者数は前年比912人増（4・5％増）の2万1081人（速報値）となった。これまで自殺者数は10年連続で減少していたが、リーマン・ショック直後の09年以来11年ぶりに増加に転じたのだ。特に女性や若年層の増加が目立つという事実に問題の深刻さを感じる。

児童・生徒の自殺・虐待・孤独が増えている

図表3-1-1 児童・生徒の状況

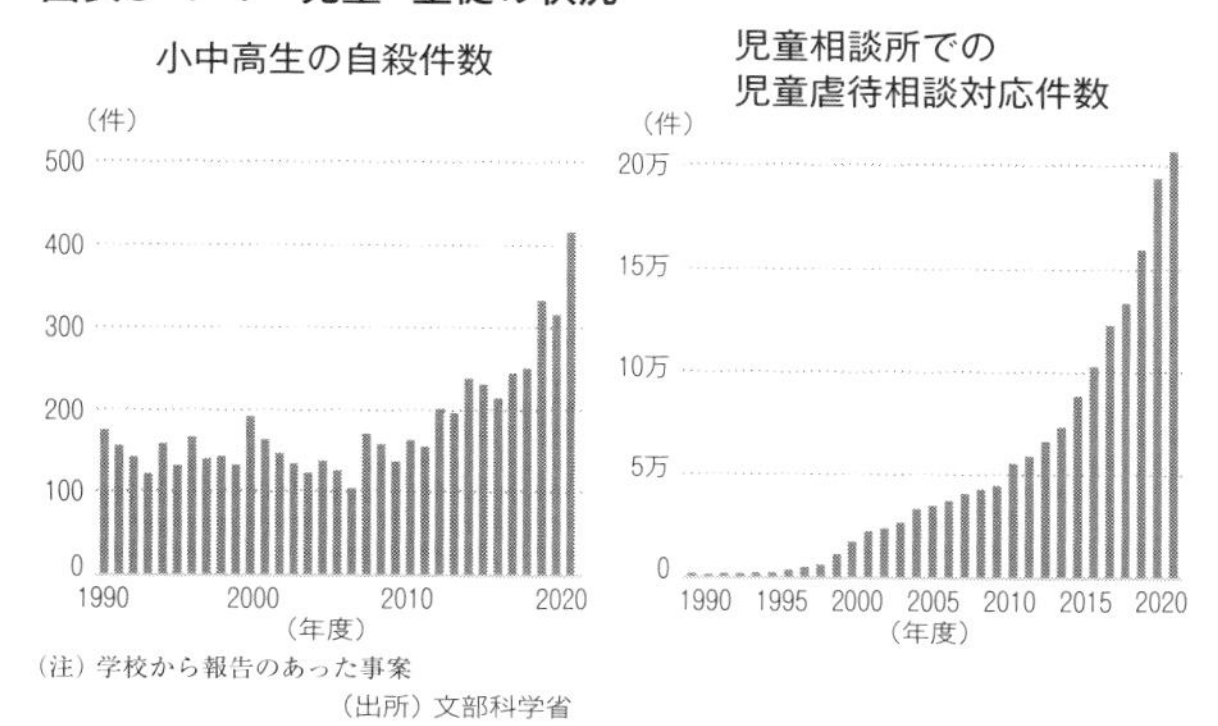

(注)学校から報告のあった事案

(出所)文部科学省

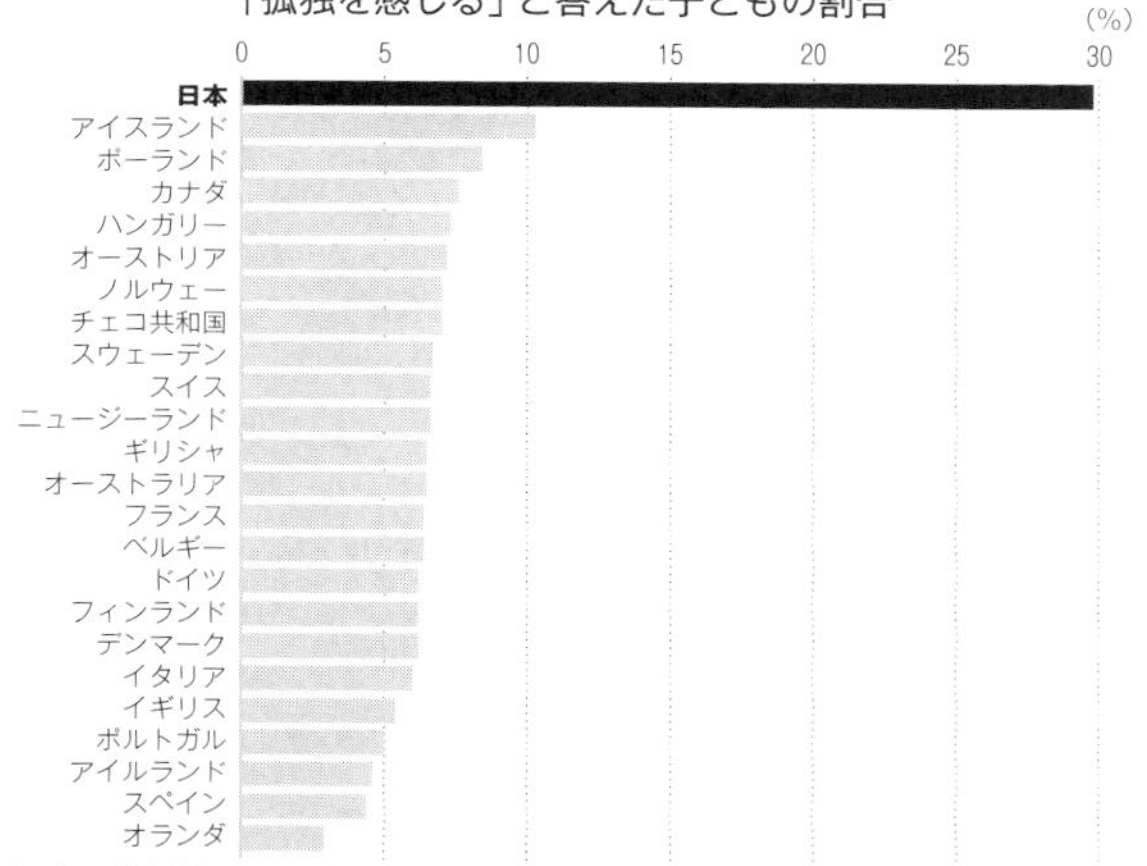

経済開発協力機構(OECD)加盟25か国を対象に、2003年に行われた15歳の意識調査(アメリカは未回答)において、「孤独を感じることはあるか」との質問に対し、「はい」と答えた子どもの割合。

この調査は、子どもたちの社会的排除感に関する調査で、その生活の質に重大な影響を及ぼす可能性があるとしている。

全体として、大半の国において、子どもたちの間に高い満足感(否定)がある中、日本では約30%の子どもが同意を示しており、これは次位のアイスランドのほぼ3倍と、突出している。

UNICEF, Child poverty in perspective: An overview of child well-being in rich countries, Innocenti Report Card 7, 2007 UNICEF Innocenti Research Centre, Florence.

2021年は男性の自殺は減ったのに女性の自殺が7068人に増え、うち「経済・生活問題」が29人増えて454人、さらにそのうち「生活苦」が185人いた。コロナは飲食、ホテル、娯楽などのサービス業への影響が大きく、それらの産業には女性雇用者が多く、特に非正規雇用が多いということが、女性の経済苦を生み出したことが推察される。おそらく少なからぬ女性は風俗産業に移行しただろう。

また児童虐待事件は増加の一途をたどり、未成年の自殺件数も増加している。その理由としては、将来への希望がないことが考えられ、ユニセフの調査でも日本の子どもは孤独を感じる者が他国と比べて非常に多い。この背景には、今の未成年の親世代がすでに氷河期世代を含んでおり、親の経済状態がずっと悪いことが子どもに影響を与えているのではないかという説も私は聞いた。

また2003年と古いがOECD調査によると、15歳の少年が「孤独を感じる」割合は日本が3割近く突出している。

つながりを恐れる社会

これらの犯罪の共通性を考えたり、子どもの自殺の増加や孤独度の高さを見ると、『第四の消費』のサブタイトルは「つながりを生み出す社会へ」だったが、実際は社会との「つながりを絶たれた」人たちが増えたのだと思える。また、もしかすると現代は「つながりを恐れる社会へ」という変化すらあるのかもしれない。

我が国でも2021年、内閣官房に「孤独・孤立対策担当室」が設置され「社会的不安に寄り添い、深刻化する社会的な孤独・孤立の問題について総合的な対策を推進するための企画及び立案並びに総合調整に関する事務を処理する」という。

そのきっかけの1つがイギリスで2018年1月にメイ首相が内閣に「孤独担当大臣」を置くことを発表したことらしい。政府と民間が協力しながら、個人の「孤独」に対処しようという機運が生まれ、複数の慈善団体が参加する「孤独を終わらせるキャンペーン」が展開されているという。

英政府が孤独解消を政策課題として取り上げることにした理由は、友達をつくれない子供、初めて子を持つ親、友人や家族に先立たれた高齢者といった人たちなどのなかに孤独状態が慢性化すると、健康に害を及ぼし、人とのコミュニケーションができなくなるところまで追い込まれることだ。孤独は、1日にタバコを15本吸ったのと同等の害を健康に与え、雇用主には年間25億ポンド（約3700億円）、経済全体には320億ポンド（約4・

7兆円）の損失を与えるという社会・経済・厚生上の理由らしい。

だが「孤独死」という言葉があるように、孤独の問題は高齢者の問題として主にとらえられている。だが後述する統計を見れば、孤独感を感じている人は若い人ほど多い。たしかに若者の孤独感というものは近代社会特有のもの、あるいはモラトリアム期間を有するようになった現代の若者に特に顕著な傾向であるとは言える。

しかし家族の介護をしながら学校に通うヤングケアラーが近年急速に政策的に重視されているように、単に青少年期独特の心理的な問題というのではない孤独が青少年に拡大している時代なのだろう。児童虐待にしても、それが問題視され始めた時代に児童だった人たちがすでに成人している。また親が離婚した家庭で育った若者もすでに相当な割合で存在する。もちろん正規雇用に就けない若者は多く、正規雇用でも所得の順調な上昇が望める若者は多くない。若者が現代的な意味で孤独を増している可能性はある。そこで本章では、ほぼ若者に限定して孤独の問題を考えたい。孤独の解消・軽減もまたケアのシェアの大きな課題だと考えるからである。

人生を楽しみたい若者が減少

以下では若い男女の意識・価値観について見ておく。三菱総合研究所の調査ｍｉｆで過去10年の推移を見ると、２０１１年から21年にかけて「人生を楽しみたい」という価値観について「とてもそう思う」若者が56％から39％と、急激に減少している。私のように１９８０年代に20代だった人間にとっては、人生はできるだけ若いうちに楽しんでおくのが当然だった。結婚して子どもを作るのが当たり前だった時代でもあるので、独身時代に海外旅行をするとか、できるだけ消費と娯楽を楽しんでおくという考え方だったのである。ところが若者はどんどんそういう価値観ではなくなっている。もちろん結婚もいつするかわからなくなっている。ずっと結婚しない人も増えている。だから若いうちに人生を楽しんでおくということにはなりにくいとも言える。

また価値観クラスタ（注）で見ると、積極派や快楽上昇派が減少し、無気力あきらめ派が増加し最大多数派になっている。時代背景を考えれば当然のトレンドであるが、やはりどこか寂しい。

注　ｍｉｆではシュワルツの価値観モデルに基づいて22項目で価値意識に関する質問を行っている。この回答結果を用いて日本人の価値観の違いを7つのクラスタに分類した。

若者は人生を楽しむ人減り、無気力あきらめクラスタ増え、快楽上昇派や積極派が減る

図表3-1-2　20代　人生を楽しみたい人の割合　2011－21年の推移

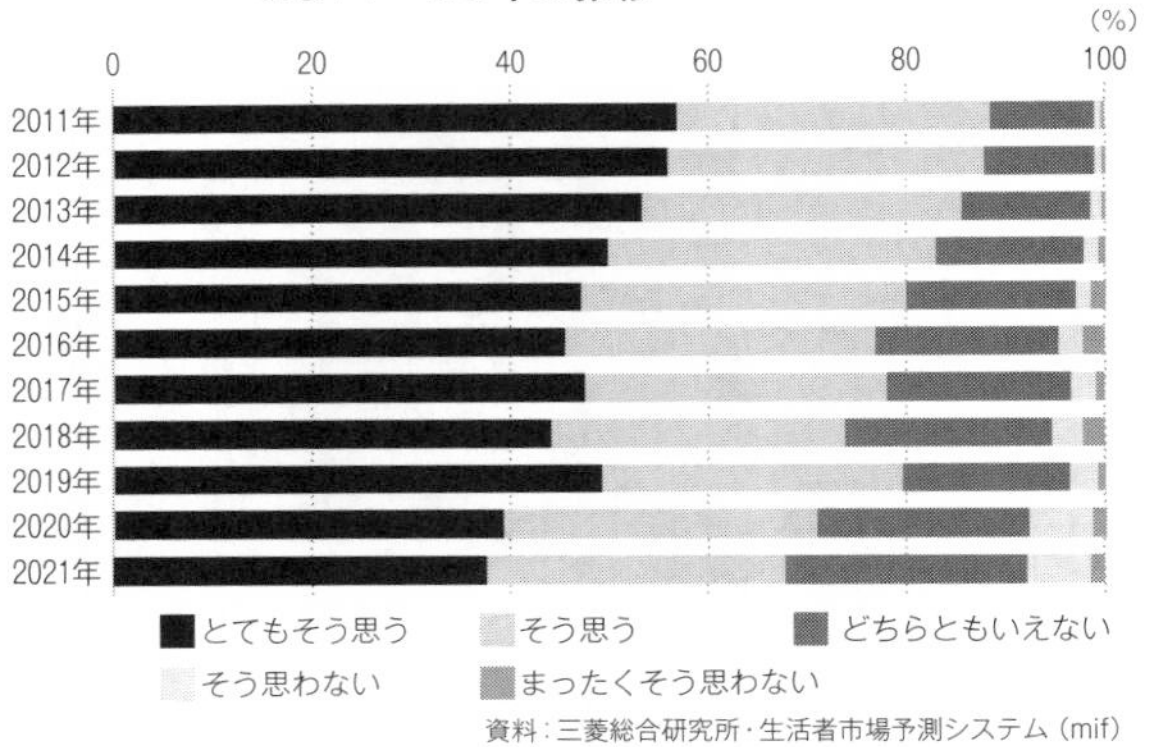

資料：三菱総合研究所・生活者市場予測システム（mif）

図表3-1-3　20代　価値観クラスタ　2011－21年の推移

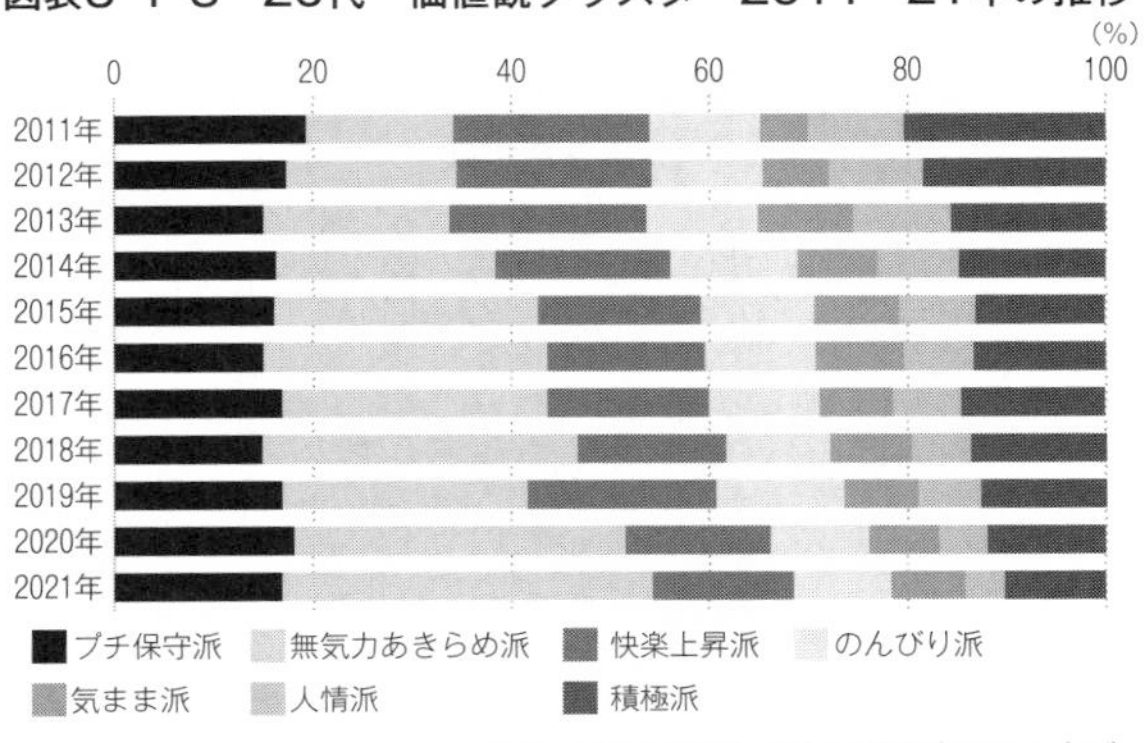

資料：三菱総合研究所・生活者市場予測システム（mif）

具体的には、各回答結果を因子分析にかけ「権力・モノ志向」、「絆志向」といった6つの因子を抽出し、クラスタ化を行っている。

各クラスタの主な特徴は下記の通りである。

【積極派】　基本的にどの価値意識も高いタイプ

【プチ保守派】　「気ままな生活」以外比較的高め、絆・奉仕や刺激に対する意識が高く、伝統についてもやや重んじる意識が高いタイプ

【快楽上昇派】　人生を楽しみたい、気ままな生活をしたいという快楽意識が高い一方で、権力志向も高いタイプ

【人情派】　絆・奉仕の意識が非常に高く、伝統を重んじる意識や健康で安全な暮らしを求める意識が高いタイプ

【無気力あきらめ派】　自分の意識を明確にせず、様子をみているようなタイプ

【のんびり派】　全体的に価値意識はやや低めではあるが、健康で安全な暮らしに対する意識がやや高いタイプ

【気まま派】　なにはさておき、気ままな生活を送りたい意識が強いタイプ

ドリームハラスメント——社会に夢がないから個人に夢を持てと命ずる

「人生を楽しみたい」という価値観と関わると思うが、「自分で自分のやることを決めていきたい」という価値観も過去数十年にわたって拡大してきた価値観だろう。しかし、集計をしてみると、「自分で自分のやることを決めていきたい」という人も近年減少しており、やはり特に20代でその傾向が強い。

「第四の消費」的な価値観の中に、企業が提供するありきたりのもので満足・妥協するのではなく、自分の使う物、自分の家、自分の生活、自分の人生は自分でつくりたいという気持ちが強くある。だから「自分で自分のやることを決めていきたい」人の減少は先述した今後リノベーションをしたい人の減少とも相関している。集計してみると「自分で自分のやることを決めていきたい」について「とてもそう思う」40代は、リノベーションを今後したい人が34％いるが、「まったくそう思わない」人は20％しかいない。

とすると、「自分で自分のやることを決めていきたい」人の減少はやはり「第四の消費」の縮減を意味することになるのか。

最近は「ドリハラ」という言葉もある。「ドリームハラスメント」である。若者が大人

自己決定志向が弱まっている

図表3-1-4　20代　自分で自分のやることを決めていきたい人の割合　2011－21年の推移

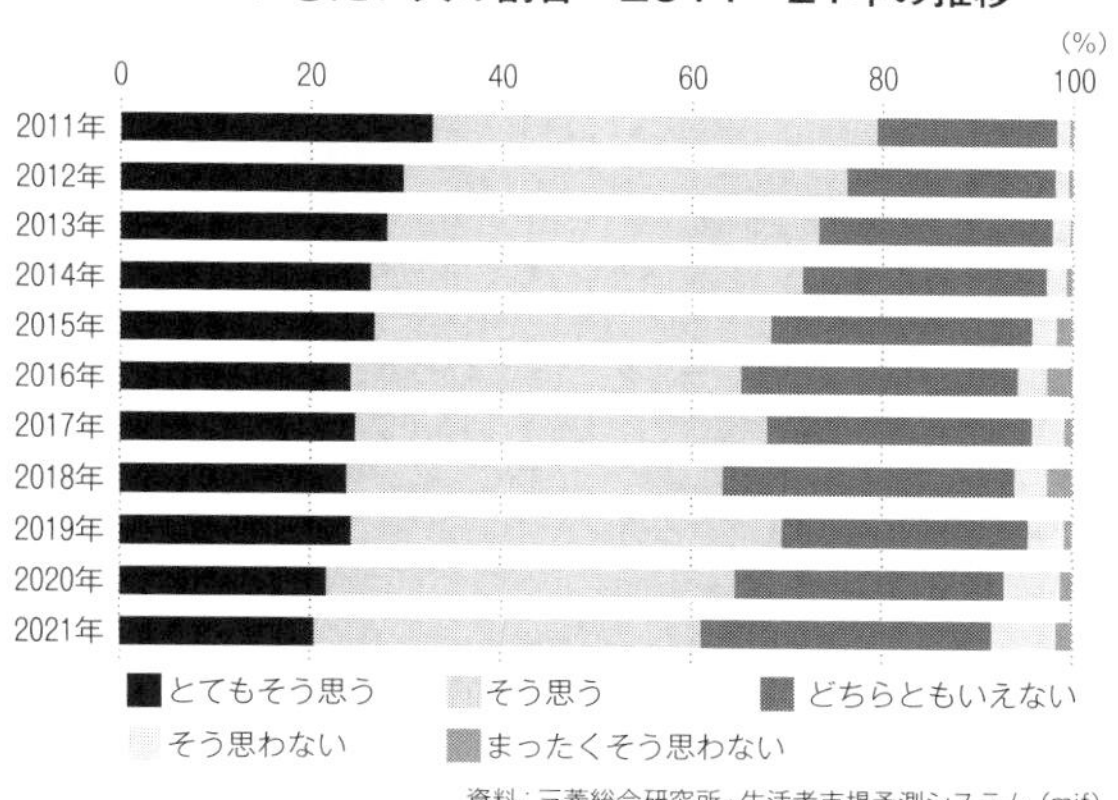

資料：三菱総合研究所・生活者市場予測システム（mif）

に夢を持てと言われるのがハラスメントだというのである。最近の中高生がそう思うらしい（もっと上の世代もそうかもしれないがデータはない）。

夢を持つというのは自己決定である。だが夢がなくてもいいじゃないか、言われたことはやるよ、ということらしい。40代は「ドリームズ　カム　トゥルー」が好きなドリカム世代であるが、その子ども世代にも当たる10代はドリハラ世代なのだ。

私も個人的には他人から夢を持てと言われるのが嫌いなので、ドリハラ世代には少し共鳴する。私には『夢がなくても人は死なない』という本もあるほどだ。自分の夢なんて人から持てとか手帳に夢を書けとか命令されるべきものではない。夢を持てと言われなくても、持つ人は持つ。持たない人は持たない。個性的になれと言われなくても個性的な人は勝手に個性的であるのと同じである。そもそもまだ社会を知らない小中学生の時の夢を実現することにそんなに意味があるのか。

昔の大人は若者に対して夢ばかり見ていないで現実を見ろと言ったものだが今は逆である。社会全体として夢がないから個人に夢を持てと命じて、夢が実現できなくても自己責任ということにする時代なのかもしれないとも思う。

夢を持てと言われて夢を持ったがその夢が破れた人の現実を、ドリハラ世代の若者はよく知っているのかもしれない。特にコロナ禍で夢が破れた人は多い（第4章）。

ある日私は荻窪で焼肉屋に入った。バイトの女子学生の接客が素晴らしくて驚いたが、大学の観光学科でホテルに就職したい3年生だった。話してみるとコロナとウクライナ問題の経済への影響で就職も大変であり給料も安そうなので、「バブル時代に行ってみたい」と言う。彼女ならホテルでなくても就職できると思ったので、「不動産業界なんてどうなの？」と言ってみたが、子ども時代からホテルの非日常空間に憧れていたらしい。

逆に彼女に「子ども時代の夢は何でしたか？」と聞かれたが、「僕らの時代は、夢を持とうなんて言われなかったよ。夢なんてなくても社会が勝手に発展して、大学を出て就職できれば親よりは良い暮らしが出来ると思えた時代だったからね。」と、余計なことまで答えてしまった。夢を持つのは良いが、人生の選択肢は多いほうがいいと思うが、そこまでは言わなかった。

帰り際には「まだ肌寒いですのでお気をつけて」と一言かけてくれる一流ホテル並みの心づかい。彼女の就職がうまく行くといいなと心から思った。夢の仕事に就くための学費を稼ぐために、あるいはせっかく就いた夢の仕事の給料の安さゆえに（コロナ禍もあり）、夜の世界に身を投ずる女性も多い。そういう現実を中高生もよく知っている。だから将来の職業は安定した公務員か不況の影響を受けないユーチューバーになるのだろう。

私は将来の目標は設定するし、設定した目標は実現する努力をする。こうならいいなという願望はあるが、人生における大きな夢や希望は持たない。他人には希望を持つが、それがかなわなくても失望はしないという人生観で生きている。

だがその私も「自分で自分のやることを決めていきたい」という若者の減少には少し首をひねる。決めたくても、もう決まっちゃってる、というあきらめなのだろうか。誰かが決めてくれるという受動的態度なのだろうか。社会への無関心であろうか。すべて面倒くさいのだろうか。

3-2 誰が孤独なのか

若い人たちの孤独

さて、次に孤独感の分析に入る。孤独感についてはｍｉｆでは２０１８年から21年までしか調査をしていないので、以下の分析は２０２１年のデータだけを見る。

まず年齢別でみると若い人ほど孤独感が強く、20～34歳では男女とも「とても孤独を感じる」だけで7％台である。男女別では女性のほうが孤独感が強く、20～24歳の女性では「とても孤独を感じる」「孤独を感じる」の合計が3割を超える。若年層では未婚者や単独世帯が多いから孤独が多いのだろうという仮説を検証すると、たしかに未婚者の孤独度は20～40代で各年齢の平均より高い。

また家族類型別孤独度を見ても、単独世帯は20～50代で孤独度が各年齢の平均より高い。

若い人・女性ほど孤独感が強い

図表3-2-1　男女年齢別　孤独を感じる人の割合

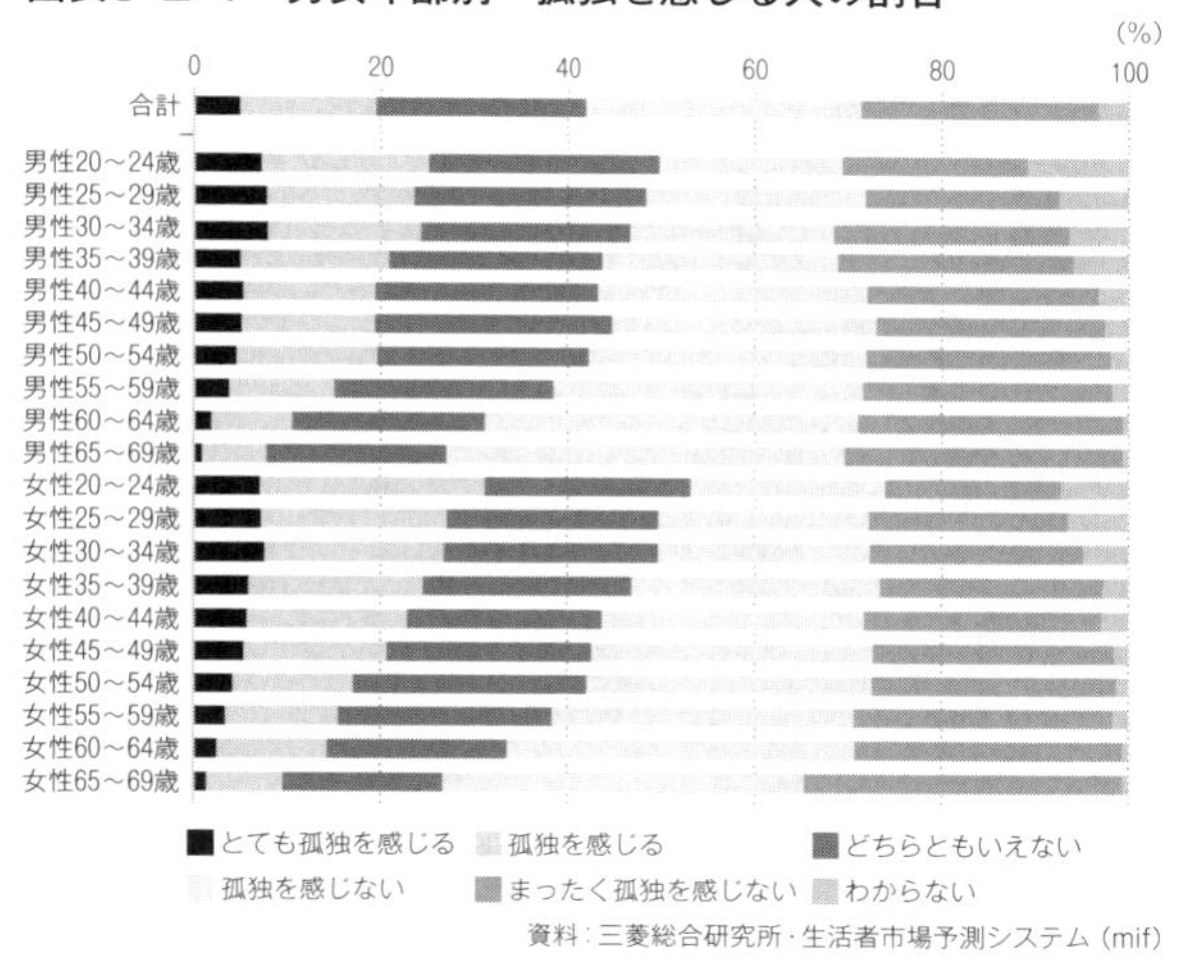

資料：三菱総合研究所・生活者市場予測システム（mif）

未婚の若者は孤独感が強い

図表3-2-2　未婚の男女年齢別　孤独を感じる人の割合

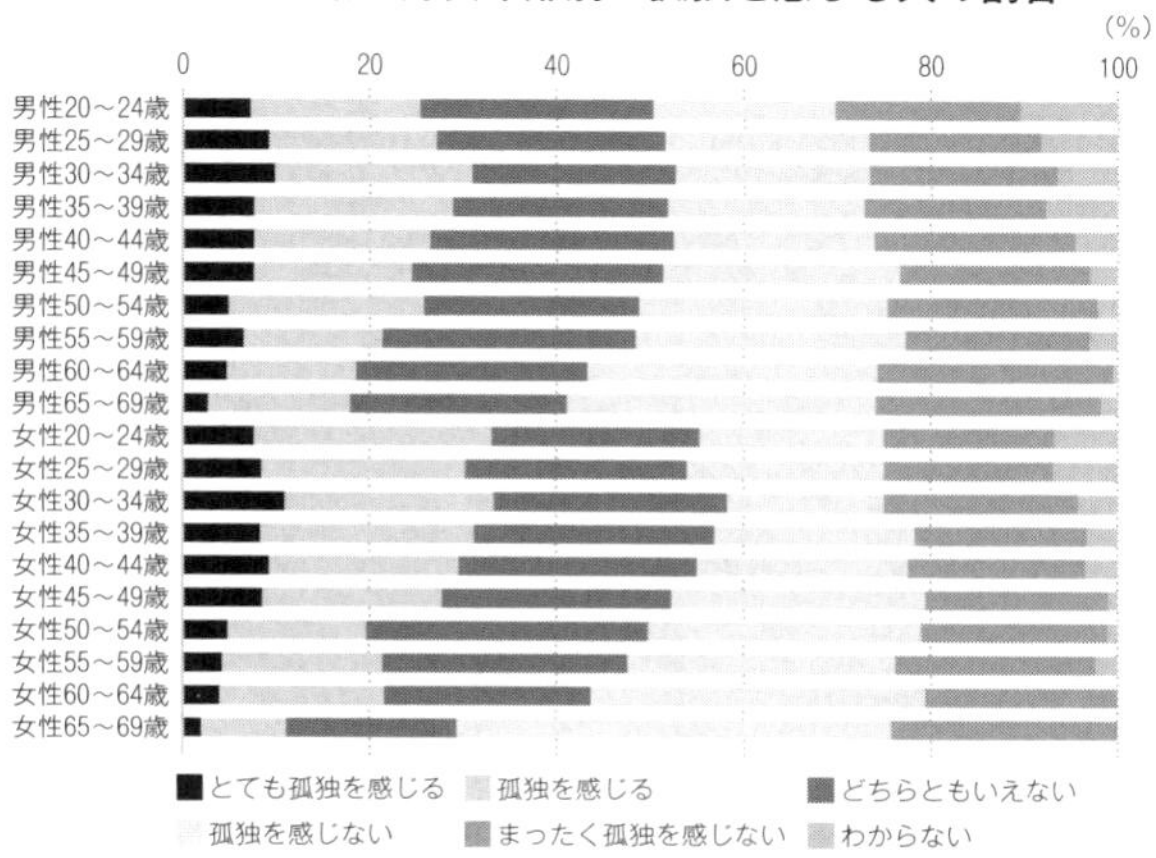

資料：三菱総合研究所・生活者市場予測システム（mif）

一人暮らしの若年から中年は孤独感が強い

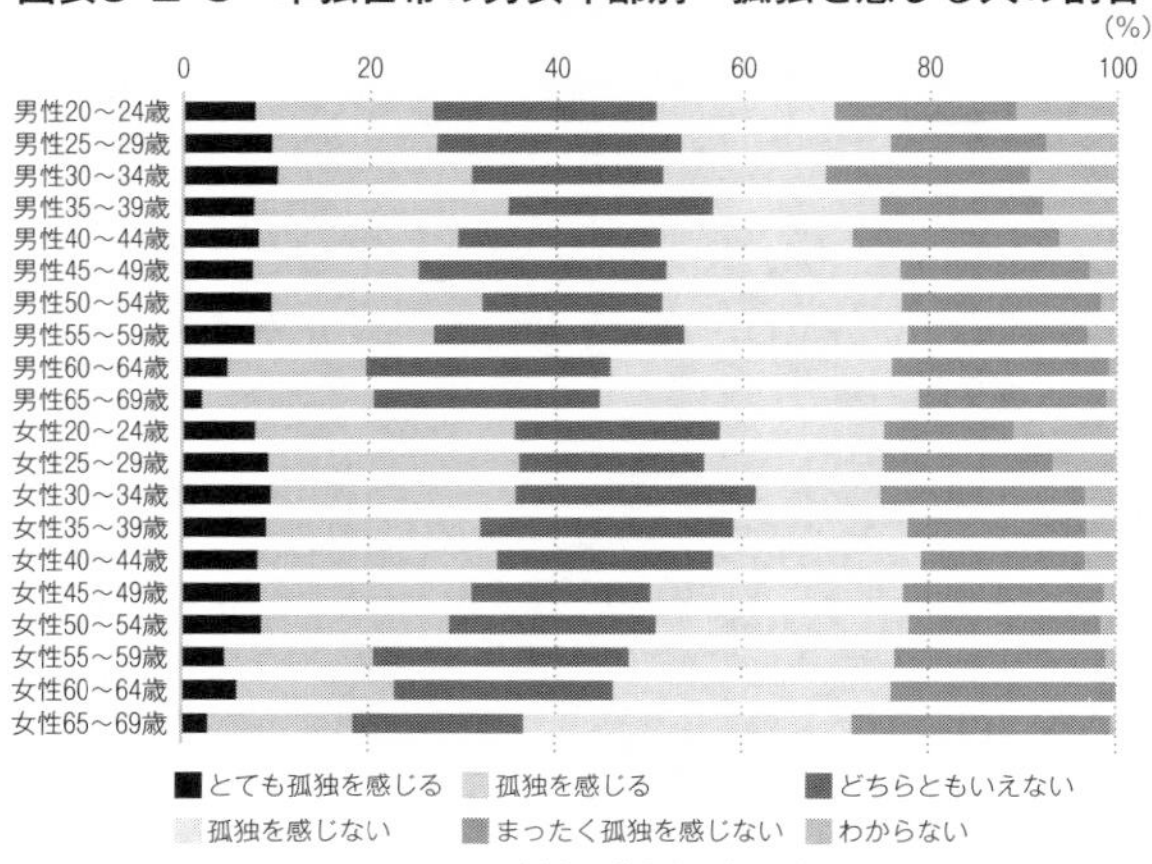

ただし、同じ単独世帯でも、今の60代の単独世帯は、死別・離別の割合が多く生涯未婚のままである割合は低いはずである。だから彼らには子どもがいる可能性も高い。何かあれば子どもが面倒を見るであろう。

また「夫婦と未婚の子のみの世帯の子」つまりいわゆる「パラサイトシングル」や、「ひとり親と未婚の子のみの世帯の子」の30～40代では孤独度が高い（図表3－2－4）。自分は結婚していないし、親は老いてくるしという問題を抱えるからであろう。

さらに細かく家族類型別に孤独度

一人暮らし、パラサイトシングル、シングルマザーなどは孤独感が強い

図表3-2-4　男女年齢別家族類型別　孤独を感じる人の割合が多い順（「孤独合計」が25%以上で多い順。人数30人以上）

			人数	孤独合計	とても孤独を感じる	孤独を感じる
世帯主かその配偶者	男性30代	離別、単独世帯	46	41.3%	15.2%	26.1%
世帯主かその配偶者	女性20代	未婚、単独世帯	500	36.6%	8.6%	28.0%
世帯主の子	女性20代	未婚、その他親族のみの世帯（パラサイトシングル）	30	36.6%	3.3%	33.3%
世帯主かその配偶者	男性30代	未婚、夫婦と未婚の子のみの世帯	39	35.9%	5.1%	30.8%
世帯主の子	女性30代	未婚、夫婦と未婚の子のみの世帯（パラサイトシングル）	286	34.6%	11.9%	22.7%
世帯主かその配偶者	女性30代	未婚、単独世帯	361	34.3%	9.4%	24.9%
世帯主かその配偶者	男性40代	離別、単独世帯	84	33.3%	10.7%	22.6%
世帯主かその配偶者	男性60代	離別、ひとり親と未婚の子のみの世帯（シングルファーザー）	31	32.3%	9.7%	22.6%
世帯主かその配偶者	女性40代	未婚、ひとり親と未婚の子のみの世帯（シングルマザー）	31	32.3%	12.9%	19.4%
世帯主の子	男性30代	未婚、ひとり親と未婚の子のみの世帯（シングル親のパラサイトシングル）	119	31.9%	8.4%	23.5%
世帯主の子	女性20代	未婚、ひとり親と未婚の子のみの世帯（シングル親のパラサイトシングル）	120	31.7%	7.5%	24.2%
世帯主の子	女性40代	未婚、ひとり親と未婚の子のみの世帯（シングルマザーの子）	154	31.2%	11.7%	19.5%
世帯主の子	女性20代	未婚、夫婦と未婚の子のみの世帯（シングルマザーの子）	489	29.6%	9.6%	20.0%
世帯主の子	女性30代	未婚、ひとり親と未婚の子のみの世帯（シングル親のパラサイトシングル）	120	29.2%	10.0%	19.2%
世帯主かその配偶者	女性20代	既婚、その他親族のみの世帯	70	28.5%	7.1%	21.4%
世帯主の子	男性40代	未婚、夫婦と未婚の子のみの世帯（パラサイトシングル）	423	27.4%	8.3%	19.1%
世帯主の子	女性20代	未婚、三世代世帯（パラサイトシングル）	70	27.2%	4.3%	22.9%
世帯主の子	男性30代	未婚、夫婦と未婚の子のみの世帯（パラサイトシングル）	427	26.9%	8.2%	18.7%
世帯主の子	男性20代	未婚、三世代世帯（パラサイトシングル）	86	26.8%	7.0%	19.8%
世帯主かその配偶者	男性50代	未婚、単独世帯	386	26.7%	7.3%	19.4%
世帯主かその配偶者	男性40代	未婚、単独世帯	535	26.4%	7.9%	18.5%
世帯主の子	男性20代	未婚、夫婦と未婚の子のみの世帯（パラサイトシングル）	521	26.3%	7.9%	18.4%
世帯主の子	男性20代	未婚、ひとり親と未婚の子のみの世帯（シングル親のパラサイトシングル）	147	25.9%	7.5%	18.4%
世帯主の子	男性50代	未婚、ひとり親と未婚の子のみの世帯（シングル親のパラサイトシングル）	126	25.4%	7.1%	18.3%
世帯主の子	女性40代	未婚、夫婦と未婚の子のみの世帯（パラサイトシングル）	307	25.4%	8.8%	16.6%
世帯主かその配偶者	男性50代	離別、ひとり親と未婚の子のみの世帯	48	25.0%	10.4%	14.6%

資料：三菱総合研究所・生活者市場予測システム（mif）2021

を見ると、「孤独を感じる」割合が高いのは単独世帯、パラサイトシングル、シングルマザー、30代から40代のパラサイトシングルである（3万人全体では「孤独を感じる」合計が19・5％なので表では25％以上だけを選んだ）。未婚・離別・死別が多いということである。よく見るとシングル親の子どものパラサイトシングルも少なくない。親が離婚などをして、子どもが成人したが、まだ自立しない、それどころか40代、50代になってもまだいる、という状況である。

今後は、40～60代以上でも生涯未婚の単独世帯が増える。子どもはいないのである。そういう意味で本当の単独世帯なのである。彼らに何かがあったとき誰が面倒を見るのか。と考えると、より孤独度の高い中高年が増加する可能性は高い。また、現在は若い世代で孤独度が高いが、今後は中高年でも未婚者や単独世帯が増えていくので孤独な中高年も増えることは間違いない。若い世代は人口が減るし、団塊ジュニアは未婚・離別・単独世帯のまま60代となるので、日本全体としては孤独な中高年が増えていくのだ。

国立社会保障・人口問題研究所の世帯数推計により、２０２０年と２０４０年の男女年齢別単独世帯数にｍ・ｉｆの男女年齢別孤独度を毎年一定として掛け合わせると、孤独な単独世帯の実数が推計できるが、それによると、男女60代の単独世帯で「とても孤独であ

図表3-2-5　孤独な単独世帯の実数の変化予測　2020-2040

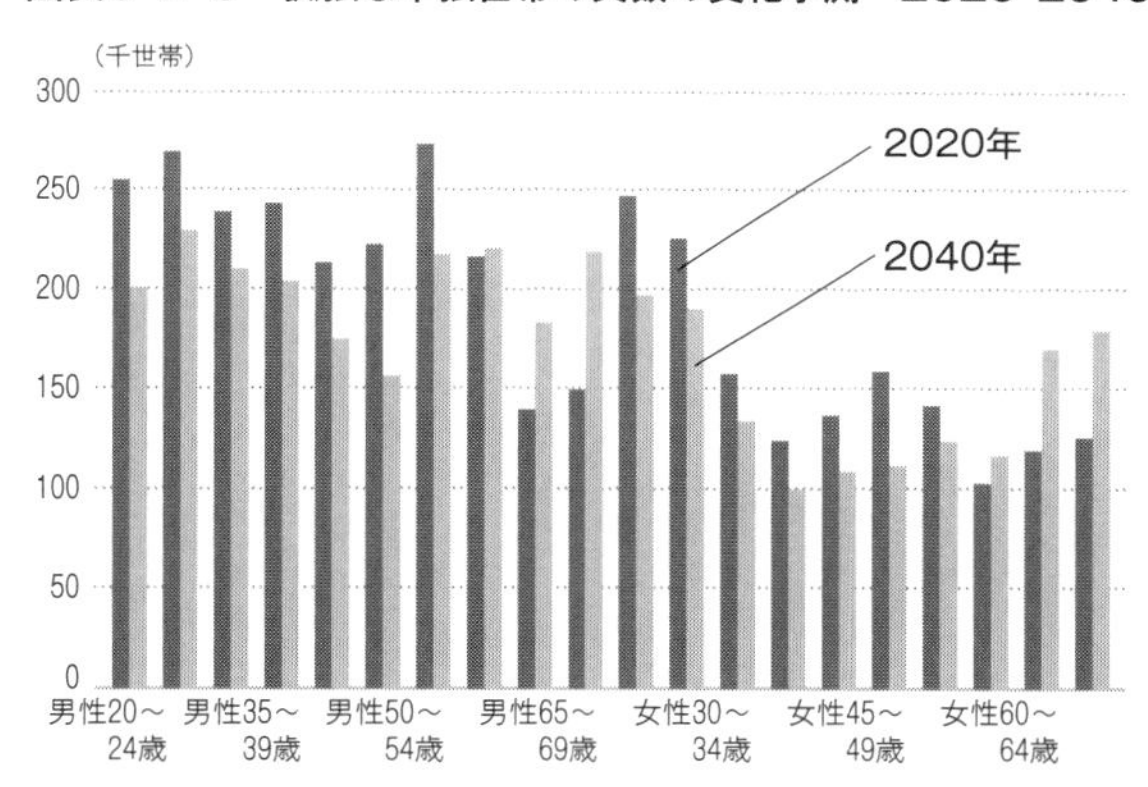

資料：国立社会保障・人口問題研究所の世帯数推計と三菱総合研究所mifから三浦展推計

る」「孤独である」人の合計は２０２０年は53・4万人だが２０４０年は75・2万人に増えるのである。

それに対して「孤独を感じない」割合が高いのは圧倒的に既婚者である（図表３－２－６）（3万人全体では「孤独を感じない」合計が54・7%なので表では65%以上だけを選んだ）。

このように現代は、単に未婚・離婚・死別、一人暮らしだけでなく、病気、失職、経済問題、介護など、さまざまな形で孤独が個人をいつ襲うかわからない時代であり、その孤独を恋愛や結婚では補填しきれない社会なのだ。今は孤独でなくても、いつ孤独になるかわからないというリスクをつねに想定しながら生きていかねばならない**「永続孤独社会」**とも言うべき時代な

孤独の解消に結婚は効果てきめん

図表3-2-6　男女年齢別家族類型別　孤独を感じない人の割合が多い順（「孤独合計」が65％以上で多い順。人数30人以上）

			人数	孤独を感じない合計	孤独を感じない	まったく孤独を感じない
世帯主かその配偶者	女性50代	既婚、夫婦とその親の世帯	82	76.8%	36.6%	40.2%
世帯主かその配偶者	男性60代	既婚、夫婦とその親の世帯	110	76.4%	38.2%	38.2%
世帯主かその配偶者	女性60代	既婚、夫婦とその親の世帯	97	76.3%	44.3%	32.0%
世帯主かその配偶者	男性60代	既婚、夫婦のみの世帯	1165	74.6%	44.7%	29.9%
世帯主かその配偶者	女性60代	既婚、三世代世帯	78	74.4%	37.2%	37.2%
世帯主かその配偶者	男性60代	既婚、夫婦と未婚の子のみの世帯	730	74.1%	46.2%	27.9%
世帯主かその配偶者	女性60代	既婚、夫婦のみの世帯	1052	72.0%	39.0%	33.0%
世帯主かその配偶者	男性60代	既婚、三世代世帯	122	71.3%	35.2%	36.1%
世帯主かその配偶者	女性30代	既婚、三世代世帯	59	71.2%	40.7%	30.5%
世帯主かその配偶者	女性60代	既婚、その他親族のみの世帯	253	70.0%	35.6%	34.4%
世帯主かその配偶者	女性60代	離別、ひとり親と未婚の子のみの世帯	86	69.8%	40.7%	29.1%
世帯主かその配偶者	男性50代	既婚、三世代世帯	137	69.4%	35.8%	33.6%
世帯主かその配偶者	男性60代	既婚、その他親族のみの世帯	100	68.0%	32.0%	36.0%
世帯主の子	男性20代	未婚、その他親族のみの世帯	34	67.6%	29.4%	38.2%
世帯主かその配偶者	男性30代	既婚、三世代世帯	49	67.3%	26.5%	40.8%
世帯主かその配偶者	女性60代	死別、ひとり親と未婚の子のみの世帯	62	66.1%	40.3%	25.8%
世帯主かその配偶者	男性50代	既婚、夫婦のみの世帯	592	66.0%	33.1%	32.9%

資料：三菱総合研究所・生活者市場予測システム（mif）2021

コロナで孤独が増した女性は一人暮らしや未婚で多い

図表3-2-7　自分は寂しい、孤独だという気持ちが増した割合が多い順（女性の家族類型別・配偶関係・年齢別）

	人数	自分は寂しい、孤独だという気持ちが増した
合　計	1000	12.1%
単独世帯、未婚、35～44歳	42	28.6%
単独世帯、未婚、18～34歳	107	18.7%
その他、未婚、35～44歳	41	17.1%
その他、離別死別、45～54歳	12	16.7%
その他、未婚、45～54歳	30	16.7%
夫婦のみ、既婚、35～44歳	43	16.3%
夫婦と未婚の子、未婚、18～34歳	110	15.5%
その他、既婚、35～44歳	13	15.4%
その他、未婚、18～34歳	77	14.3%
単独世帯、未婚、45～54歳	43	14.0%
その他、未婚、18～34歳	58	12.1%

資料：カルチャースタディーズ研究所コンソーシアム「コロナ後の意識と行動の変化調査」2022

のである。

さらにコロナ後の意識と行動の変化として「自分は寂しい、孤独だという気持ちが増した」人を女性について見ると、最も孤独が増したのは単独世帯・未婚・35～44歳の女性であり、29％が孤独感を増している。前章で述べたように、現代の若者は、夫だけでなく妻も浮気をするかもしれないリスク、離婚して慰謝料を払わなければならなくなるかもしれないリスク、シングルマザーになるリスクなどなどを想定しつつ結婚する。かつては安心のためのものだった家族も、離婚しなくても子育てにお金がかかる、義理の親の介護をしなくてはならないなど、たくさんの経済リスクや「孤独になるリスク」を抱えている。そ

管理職や年収が高い人は孤独を感じにくい

図表3-2-8　主な職業別に見た孤独度

	合計	とても孤独を感じる	孤独を感じる	どちらともいえない	孤独を感じない	まったく孤独を感じない	わからない
合計	20714	4.8%	14.7%	22.8%	29.2%	25.3%	3.2%
管理的職業（課長職以上）	1893	3.1%	11.2%	20.1%	34.0%	30.0%	1.6%
専門的・技術的職業	5192	4.4%	14.0%	24.0%	29.9%	25.1%	2.5%
事務的職業	4618	5.2%	16.4%	22.8%	29.3%	24.0%	2.3%
販売の職業	2183	4.5%	16.4%	22.8%	29.6%	23.1%	3.7%
生産工程の職業	1338	6.3%	15.3%	23.0%	25.6%	25.1%	4.7%
運搬・清掃・包装等の職業	853	6.7%	14.3%	22.7%	25.8%	26.1%	4.3%

資料：三菱総合研究所・生活者市場予測システム（mif）2021

図表3-2-9　35～44歳男性　年収別孤独度

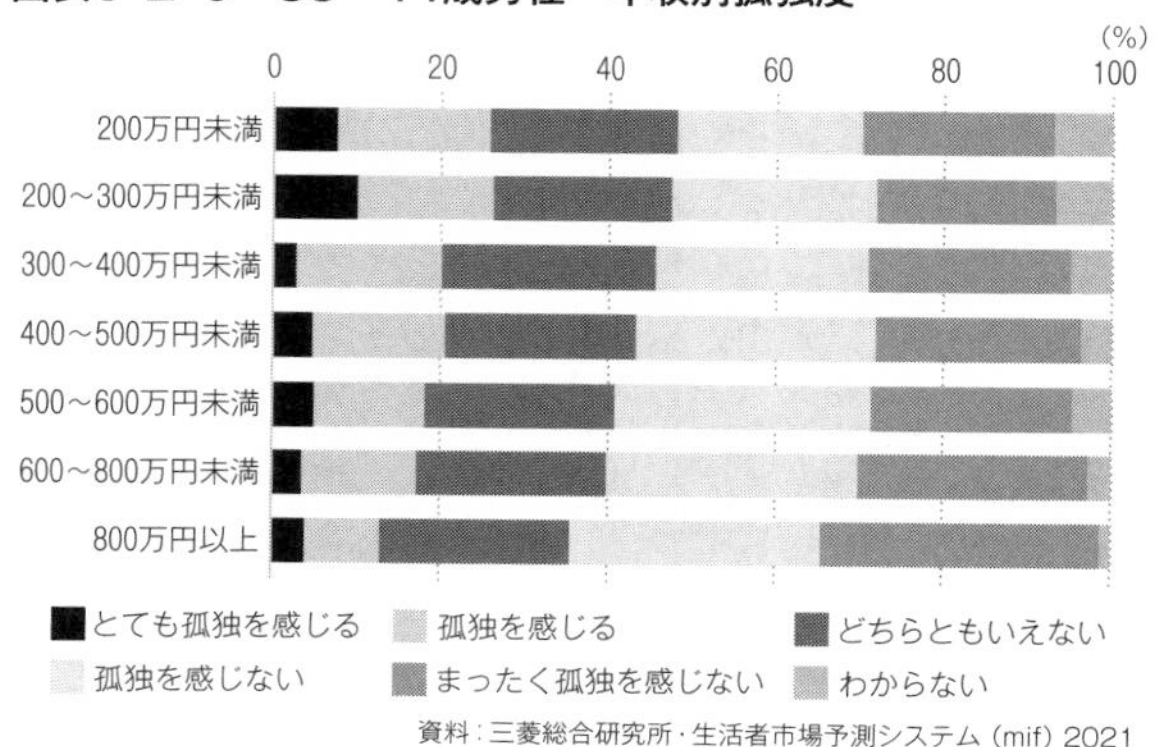

資料：三菱総合研究所・生活者市場予測システム（mif）2021

図表3-2-10　就業形態別孤独度（まったく感じない順）

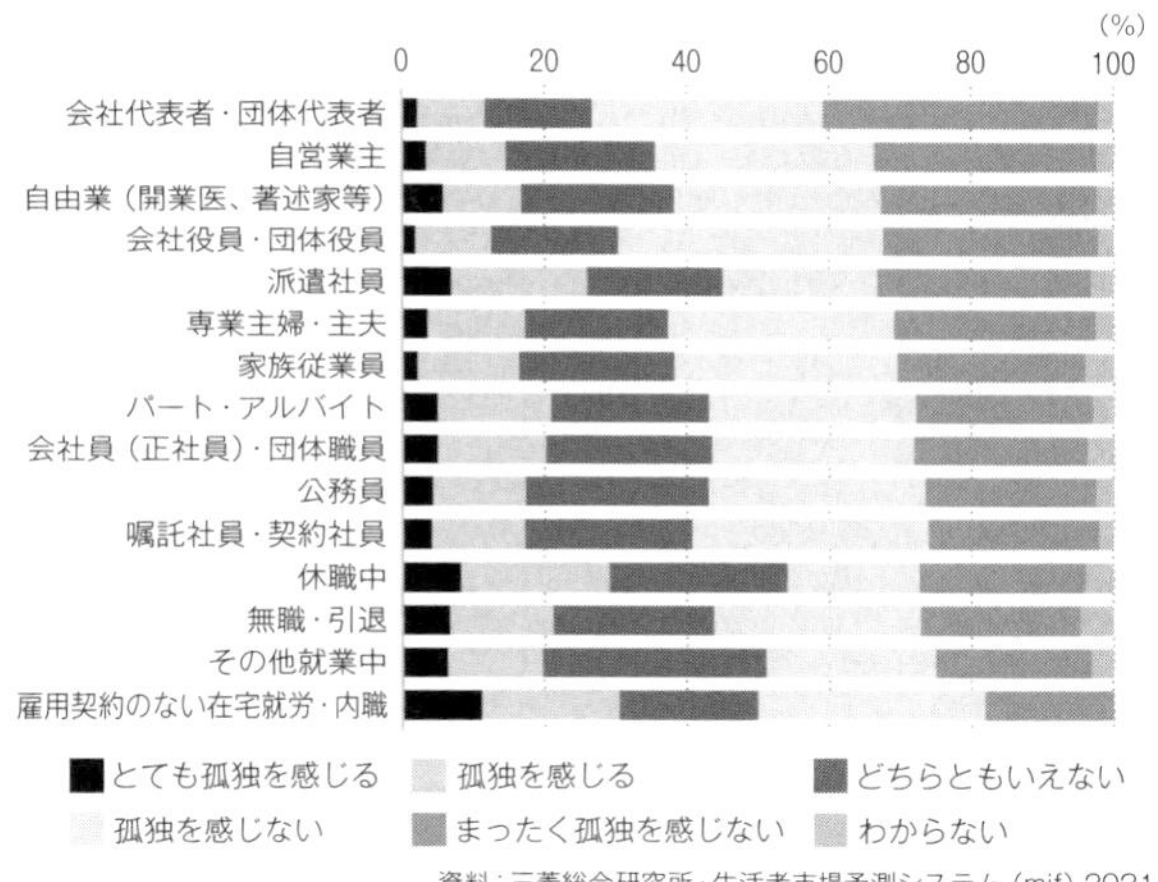

資料：三菱総合研究所・生活者市場予測システム（mif）2021

のことを最も強く感じるのが35～44歳の女性なのかもしれない。

職種別孤独度を見ると管理的職業の人は「まったく孤独を感じない」「孤独を感じない」の合計が64％もある。鈍感なのかとすら思える数字である。対して事務的職業、販売の職業、生産工程の職業、運搬・清掃・包装等の職業は「とても孤独」「孤独」の合計が2割を超える。

また年収別では500万円あたりを境に年収が上がるほど孤独を感じる人は減る。特に格差の大きい男性35～44歳で見ると、300万円未満では孤独度が高いが、400万円以上では年収が上がるほど段階的に孤独度が下がることがわかる。

このように孤独度には職業や年収の階層格差との関連があることが明らかである。

就業形態別孤独度は、会社代表、自営業、自由業、会社役員などでは孤独を感じない人が多く、雇用契約のない在宅就労、無業、休職中、嘱託・契約社員などでは孤独を感じない人が少ない。概して経済的に余裕がある人は孤独度が低く、余裕がない人は孤独度が高いと言える。

ひとりで生きていく時代

未婚者や単独世帯の孤独度が高いにもかかわらず、30～40代の男女ともに今後5年以内に「結婚していないと思う」人の割合は過去10年で増加し、概ね13ポイントほど増えている。面白いことに30～40代についてはどの年収でも10年で13ポイントほどの増加である。ただし低年収の人ほど「結婚していないと思う」割合は高い。100万円未満では61・5％（男性では67・5％）、100万～200万円未満では57％（男性63・2％）が「結婚していないと思う」と答えている。

ただし、「結婚していないと思う」人は「結婚していると思う」人より孤独度が低いので、「結婚していないと思う」人が増えることが孤独度の増加にはつながらない。「結婚し

年をとるほど結婚は遠のく

図表3-2-11　男女年齢別　5年以内に結婚していないと思う人の割合

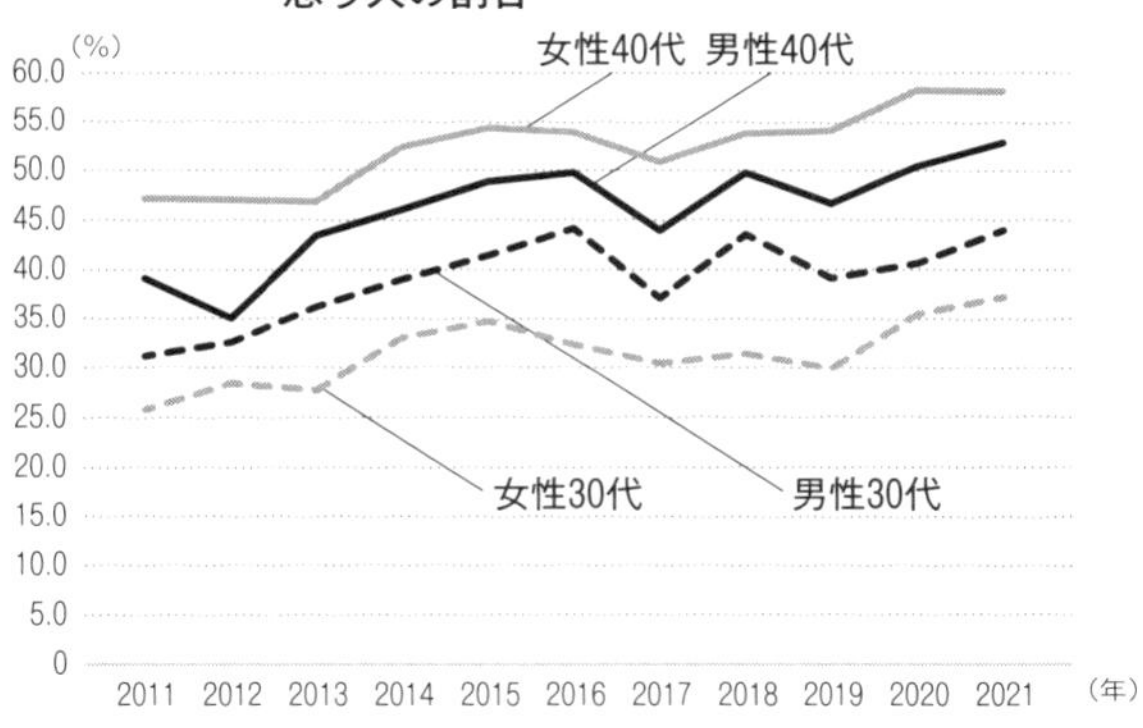

資料：三菱総合研究所・生活者市場予測システム（mif）2021

ひとり親家庭の子どもは結婚をしないと思いやすい

図表3-2-12　30代男女・家族類型別
5年以内に結婚していないと思う人の割合

			人数	結婚していると思う	どちらかといえば結婚していると思う	どちらともいえない	どちらかといえば結婚していないと思う	結婚していないと思う
単独世帯	世帯主本人	男性	599	13.2%	11.9%	**26.5%**	11.9%	36.6%
単独世帯	世帯主本人	女性	384	**23.4%**	10.7%	19.5%	11.5%	34.9%
夫婦と未婚の子のみの世帯	世帯主の子ども	男性	430	4.0%	7.4%	22.6%	12.8%	53.3%
ひとり親と未婚の子のみの世帯	世帯主の子ども	男性	120	5.8%	6.7%	21.7%	9.2%	56.7%
夫婦と未婚の子のみの世帯	世帯主の子ども	女性	291	**15.1%**	10.0%	24.4%	13.7%	36.8%
ひとり親と未婚の子のみの世帯	世帯主の子ども	女性	127	9.4%	3.9%	23.6%	13.4%	**49.6%**

資料：三菱総合研究所・生活者市場予測システム（mif）2021

ていると思う」人は現在孤独だと思うから5年以内に結婚していると思うのであろう（結婚すれば孤独から解放されるという期待を込めて）。逆に、結婚していなくても孤独をあまり感じない人は5年後にも「結婚していないと思う」のである。

さらに、「結婚していないと思う」人を細かく分析すると、興味深いことがわかる。たとえば30代の単独世帯では「結婚していないと思う」人は36％（男性37％、女性35％）である。

対して、「夫婦と未婚の子のみの世帯」の「世帯主の子ども」である（パラサイトの）30代男性では「結婚していないと思う」人は53％、同じく女性では37％だった。つまりパラサイト男性は単独世帯男性よりも「結婚していないと思う」割合が高いのだが、女性は同じ程度である。

他方「ひとり親と未婚の子のみの世帯」の30代の「世帯主の子ども」は、男性の57％、女性の50％が「結婚していないと思う」と回答している。男性は「夫婦と未婚の子のみの世帯」の子どもとあまり変わらないが、女性は「ひとり親と未婚の子のみの世帯」のほうが多いのだ。ひとり親世帯の子ども、特に女性の場合、自分も親同様結婚してもうまくいかないだろうと思い、一生ひとりで生きていく！と考える傾向が強まるのであろう。

ひとり親世帯は増えるばかりなので、その子どもの女性が結婚しないケースはますます増えるだろう。ただしデータを見ると、ひとり親世帯の子どもも夫婦揃った世帯の子どもも孤独度は変わらない。だからひとり親世帯の子どもが未婚のままでいても孤独を感じる人が増えるわけではない。

だが病気や老後のリスクを考えると、本人がいくら孤独を感じないと言っても、社会全体としては単独世帯の増加やシングルマザーの増加は様々なコストを増やす可能性がある。だから、結婚ではない形でいいので、単独世帯やシングルマザーの人々がつながりあって共助できる仕組みが必要になるだろう。

介護する若者

さらに現代は介護という問題がある。そして家族を介護する人は孤独度が高まる傾向がある。

20~60代で親の介護をしている人のうち「とても孤独を感じる」人は6・4%だが、20代だけだと16・9%ある。「孤独を感じる」と合計すると42%もある。20代では配偶者が介護をしている場合、親が介護をしている場合でも「とても孤独を感じる」「孤独を感じる」の合計は4割あり、家庭の中で介護が行われていることが若者の孤独感を増すことにつながっている。ヤングケアラーの問題ともからむ話である。

もちろんそこには、介護によって経済的に困難が増すということも関連していよう。おそらくそのために、20代で孤独を感じる人は女性より男性がやや多い。介護をすることによって本来得られるはずの収入が下がることは、女性より男性のほうがダメージだからであろう。

超高齢社会では、同居していなくても家族・親族の中に介護される人が存在する可能性が高まる。30歳の既婚男女がいるとして、その親4人が60歳、祖父母8人が90歳で全員存命となると、30歳の男女から見て、自分たちの4倍の数の被介護者・その予備軍をはじめから想定して生きることになるのだ。これだとのんきに消費と娯楽にカネを使って暮らそうとは思わないだろう。

私の知人の30歳くらいの夫婦に実際に話を聞いたところ、彼らは双方の親と旅行に行くことが多いという。親はまだ50代だから、親だけで勝手に旅行くらい行けるでしょうと聞いたら、いや、もうすぐ親は祖父母の介護をしなければならなくなる、そうなったら一緒に旅行は行けない、だから今のうちに旅行をするのだという。なるほどと感じ入った。

私が30歳の時、私の両親も義理の両親も50代であり、祖父母は4人しかおらず、5年以内に3人他界した。祖父母が90歳まで生きることは想定しなくてよかった。母は祖父母の介護を多少はしたが、短期間であった。子どもの私としては、両親が介護に追われる前に親孝行をしておこうとはまったく考えなかったのである。現代の若者が、親が祖父母を長期にわたり介護することを前提として生きている、というのは若者の心理と行動、消費の内容と金額にも広くかつ大きな影響を与えるだろう。

居場所、経済、価値観と孤独

2020年にカルチャースタディーズ研究所が主宰して行った「日本人の意識と価値観調査」での「日本認識」(注)についての設問と孤独度の相関を見てもなかなか興味深いものがある。

設問への回答者別に孤独度を集計すると、特に25〜34歳男女では、「シェアハウスに住むなど、他人とも家族のように暮らしたい」「気軽に立ち寄れる居場所がない」といった自分の居場所を求める人で孤独度が高い。

また「職業や生き方(ライフスタイル等)の選択肢が多くなりすぎて、かえって不安にな

居場所を求める人と孤独感は相関する

図表3-2-13　25～34歳　日本認識別に見た孤独度

「とても孤独」「孤独」の合計の多い順（合計が40%以上の項目）

	人数	とても孤独を感じる	孤独を感じる
25～34歳男女合計	714	5.5%	20.0%
シェアハウスに住むなど、他人とも家族のように暮らしたい	10	20.0%	40.0%
気軽に立ち寄れる居場所がない	48	14.6%	37.5%
都市の防災能力を高めるためにさらに再開発を進めるべきだ	30	3.3%	46.7%
職業や生き方（ライフスタイル等）の選択肢が多くなりすぎて、かえって不安になる	27	7.4%	40.7%
民主主義だけでは世界の中で勝てない	28	3.6%	42.9%
大企業がうまく機能しなくなっている	43	9.3%	34.9%
社会を多方面でリードする真のエリートを増やす教育がされていない	42	4.8%	38.1%
最低限の所得を保証して過度な競争をしなくていい社会にする	63	9.5%	33.3%
画一的な大量生産品ではなく、自分に最適なモノやサービスを選べる仕組みをつくってほしい	35	5.7%	37.1%
今の時代には空虚感（むなしさ）がある	103	10.7%	32.0%
毎日を生きるだけで一杯である	119	12.6%	29.4%
学歴偏重社会だ	55	9.1%	32.7%
氷河期世代・ロストジェネレーションへの支援が足りない	56	10.7%	30.4%
正規雇用や非正規雇用の区別をなくして、みんなが能力やライフスタイルに合わせて契約をして働くほうがいよい	78	12.8%	28.2%
二大政党制などの新しい政治体制が実現しないのは問題だ	32	9.4%	31.3%
中高年になってから離婚して、個人として自由に生きるという「卒婚」が増えるだろう	30	6.7%	33.3%
多様化が進みすぎて社会の統一性・共同性が不足している	25	4.0%	36.0%

資料：下流社会15年後研究会「日本人の意識と価値観調査」2020

る」「多様化が進みすぎて社会の統一性・共同性が不足している」というように、社会の多様性の拡大がむしろ孤独につながるという傾向も見える。

もちろん経済的な困難との相関もあり、「最低限の所得を保証して過度な競争をしなくていい社会にする」「毎日を生きるだけで一杯である」「学歴偏重社会だ」「氷河期世代・ロストジェネレーションへの支援が足りない」「正規雇用や非正規雇用の区別をなくして、みんなが能力やライフスタイルに合わせて契約をして働くほうがよい」と回答した人は孤独度が高い。

注　質問は「今の日本・これからの日本について、あなたの考えに近いものを以下からいくつでも選んで下さい（複数回答）」

若い世代は家族と友人関係が孤独の要因

若者の孤独の主たる原因を生活の各分野における満足度との相関で見ると、家族とのコミュニケーション、友人・知人との付き合い、自分の健康への不満が大きい。女性では特

家族への満足度が低いと孤独は高まる

図表3-2-14　30代女性　家族への満足度別の孤独度

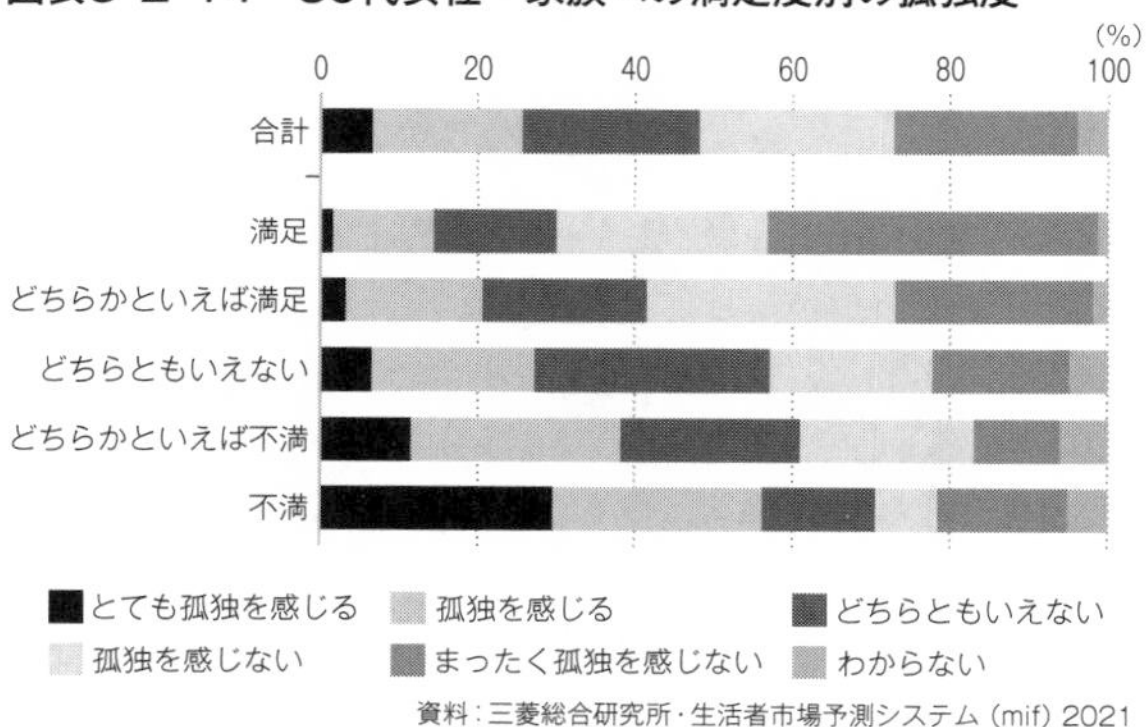

資料：三菱総合研究所・生活者市場予測システム（mif）2021

に30代で家族とのコミュニケーションへの満足度や友人・知人との付き合いへの満足度と孤独度の相関が高い。20代女性でもほぼそれと近い傾向である。

従来であれば、若くして子どもができたので、孤独を感じる暇がなかったとも言えるし、孤独になるのは配偶者が死んで初めてとか、子どもが独立して初めてといったことが普通だっただろう。ところが現代は、未婚期間が長く、しばしば生涯未婚であり（図表2-3-1）、離婚も多く、子どものいない夫婦も多く、結果、人生のどの段階においても孤独状態でありうるのである。孤独であることを常にリスクとして想定する社会なのである。

そういう意味では、現在は若い人ほど孤独

で、中高年はそうでもないとしても、それは現在の若者が今後加齢と共に自然に孤独が減るということを必ずしも意味しない（図表3－2－3参照）。ほとんどの人が若くして結婚、出産、子育てをした時代とは違うのである。

だから、現代の若者は自分はいつまでも孤独かもしれないとか、今は孤独でなくても、いつどこで孤独になるかもしれないということを前提として行動するのである。一生結婚しないかもしれない、子どもがいないかもしれない、自分が結婚も出産もする前にたった一人で親の介護をしなくてはならないかもしれない、それなのに自分には十分な貯蓄がないかもしれない、親の介護が終わると自分が初老となり、自分の老後を世話する子どもはいない可能性も高い、などなどの孤独リスクをつねに想定しなければならないのである。いや、ほとんど誰もが常にある程度孤独であり続けうるのだ。単なる「青春の孤独」ではないのである。

もちろん同じように孤独といっても、時代によって孤独の内容は異なる。戦前なら親が早く死ぬことが多い。親のない子どもが小学校を卒業するかしないかで働いたケースも多い。戦争で家族全員と死に別れた人もいる。高度成長期が始まると地方から中卒で都会に出てきた、いわゆる集団就職の少年がたくさんいた。それぞれの時代に、それぞれの孤独がある。

3-3 世界線——愛と孤独

恋人がいても孤独

過去の時代の孤独と現代の孤独がどう違うのか、とても興味深いテーマである。たとえば集団就職や大学進学などで大量の若者が東京に出てきた時代には、おそらく友人ができる、恋人ができることが孤独の解消に役立っただろうと想像できる。しかもその時代には、親が決めた相手と結婚する見合い結婚ではなく、自分が好きな相手と結婚する恋愛結婚が主流となっていった。自分が好きな人と恋愛ができ、結婚ができるとすれば、それは孤独の解消に役立っただろう。

しかし現代は、恋人がいても孤独度はそれほど下がらないらしい。20～24歳の男性で恋人がいない人の「とても孤独」「孤独」の合計は28・4％、恋人がいる人は26・4％であ

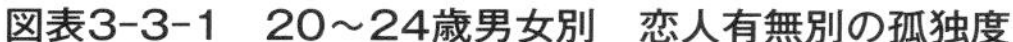

恋人がいても孤独感は消えない

図表3-3-1　20～24歳男女別　恋人有無別の孤独度

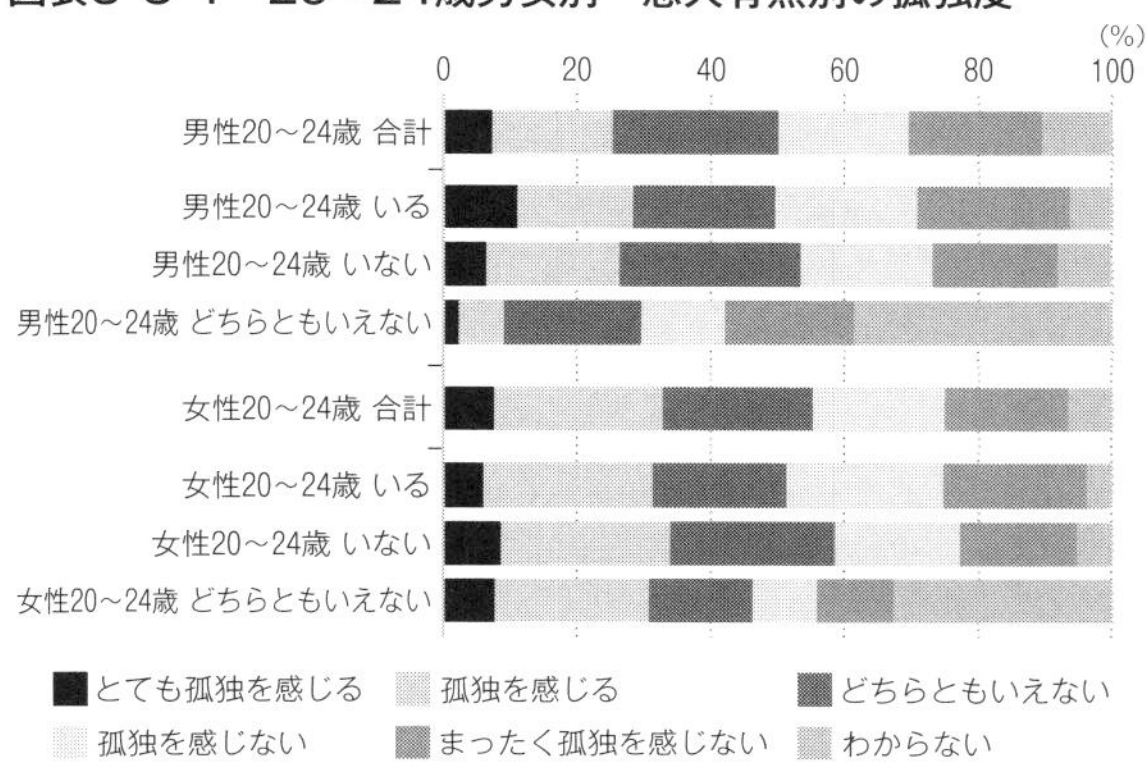

資料：三菱総合研究所・生活者市場予測システム（mif）

る。女性は恋人がいない人は35・9％だが、いる人は31・3％である。あまり差がない。25～29歳男性でも恋人がいない人は「とても孤独」「孤独」の合計は31・8％、恋人がいる人は19・7％である。女性は恋人がいない人は35・6％だが、いる人は26・3％である。やや差がある。30～34歳は25～29歳と似た傾向である。20～24歳における恋人が孤独感を解消しない傾向は強いと言える。

また20～24歳男性は恋人がいるのかいないのかわからない「どちらともいえない」人ではずっと孤独度は低い。友達か恋人未満のほうがよいらしい。なまじ恋人だと意識すると相手の浮気が気になるとか、優しさが足りないと思うとか、不安要因が増すのであろう。

もちろん恋人がいても恋人が別の人に惹かれていると思って不安になるなんてことは昔からあることで、たとえば松田聖子の名曲「瞳はダイアモンド」はそういう心理を歌ったものだ。だから今の時代特有のことではないとは思う。

だが今はＳＮＳでお互いがそれぞれどこで何をしているかをある程度知ることができるので、今日はここに行くと言っていなかったのになあとか、誰と会うと言っていなかったのになあということが気になる。ドラマだと彼が女性といるところにばったり出くわすが、現実にはそんなにばったり出くわすことはあまりない。だが今はＳＮＳがあるので、相手の動きをある程度観察できる。観察されたくない人はＳＮＳにあまり投稿しなくなる。だが投稿しなければむしろ怪しまれる。つながりすぎるＳＮＳ社会は、つながりすぎる・知ることができすぎることで不安を助長する。だから、「つながりを恐れる」心理が生まれ、「つながりを切る」ことへのニーズも生まれる。

ヒゲダンのプリテンダーの謎と「検索的」人間関係

現代における若者の孤独を考える上で、Official髭男dism（以下ヒゲダンとする）という

Jポップバンドの「プリテンダー」の歌詞はとても興味深いものである。同曲は2019年12月に発表された「第1回 オリコン年間ストリーミングランキング 2019」の作品別売上数部門で期間内再生数約1億6779・3万回を記録し1位になった曲である（集計期間：2018／12／24付〜2019／12／16付）。またオリコンの「オリコン上半期カラオケランキング 2020」（19年12月9日から20年6月7日）でも1位。さらに21年3月3日に放送された『関ジャム 完全燃SHOW ゴールデン2時間SP』で、「関ジャム J-POP20年史 2000〜2020年プロが選んだ最強の名曲ベスト30」で1位に輝いたのも「プリテンダー」だった。

なぜこの曲がこんなに人気なのかを考えると、まさに恋人がいても孤独という時代の感覚がわかるような気がするのである。特に私に違和感を感じさせつつ興味をそそったのが、「もっと違う設定で　もっと違う関係で　出会える世界線　選べたらよかった　もっと違う性格で　もっと違う価値観で　愛を伝えられたらいいな」という歌詞である。

「設定、関係、性格、価値観」が違ったから、君に好きと言えないという歌詞なのである。この歌自体では主人公と相手の「設定、関係、性格、価値観」すべてが食い違ったのか、そのうち1つか2つなのか、わからない。だが聴く方はどれか1つでも当てはまる経験があれば歌に共感できるのである。

いずれにしろ諸条件が合わないと好きだと言えないのであり、たくさん検索条件を入れて住宅を探すように、自分に最適な彼女を探すのだ。現代の人間関係は「選択的」になっていると言われて久しいが、さらに今は「検索的」になっているとも言えるかもしれない。好きになるというのは、突然何の前触れもなく、ぐっと胸が痛くなって好きになるのが普通である。人に限らず、服でも、家でも、諸条件はすべて満たしていないが、しかし全体としては一目惚れということはありうる。値段は高い、けっこうぼろい、駅から遠い、でも気に入ったということはある。

だが検索を前提として消費する現代では、彼女（彼氏）選びも検索的になる。自分の衝動的な気持ちでは不確定すぎて、リスキーすぎて信頼できないのであろう（注）。

昭和のおじさん世代からすると、「設定、関係、性格、価値観」が違っても、好きと言うだけ言えばいいじゃないか、当たって砕けろとはっぱをかけるだろう。それでふられても、なにしろ「設定、関係、性格、価値観」が違うのだから、仕方ない。それに、もしかすると彼女も彼の情熱にほだされて、「設定、関係、性格、価値観」を乗り越えて、付き合ってくれるかもしれないし、というのが金八先生的な、あるいはフーテンの寅さん的な昭和の精神論であろう。

だが、「プリテンダー」ではそうはならないのである。そもそも彼は「君とのラブストーリー　それは予想通り　いざ始まればひとり芝居だ」、自分は「結局ただの観客だ」と、最初から冷めて外から自分を見ている。「飛行機の窓から見下ろした　知らない街の夜景みたい」に自分を見ている。そして「ロマンス」という言葉が2度使われていて、「君の運命のヒトは僕じゃない」「君とのロマンスは人生柄　続きはしない」「これもロマンスの定めなら　悪くないよな」と恋愛の不可能性が繰り返し表明されている。

現代では人間関係が選択的であるだけでなく、現代人の行為は商品であれ、旅行先であれ、就職であれ、つねに選択的である。職業選択の自由は民主主義の基本であり、商品選択の自由はアメリカが生み出した消費資本主義のイデオロギーである。かつ現代は情報がたくさん溢れている。よって選択した結果に満足できなかったら、昔は会社や店に文句を言ったが、今は企業がリスク回避のために事前に出した情報に消費者は「同意」したことになっているので、後から不満が出ても自己責任であり、不満を解消したければまた新しい選択をするしかない。若い人ほど、生まれたときからこうした選択の自由を与えられているので、自分の人生は細部に至るまで自分の選択の結果であり、結果については自己責任であると考えるのかもしれない。

だが、そもそも自分の人生が自分の選択だけの結果であるというのは絶対に間違いである。商品の特性を100％理解して買ってかつ満足するとは限らないし、期待した旅行先ががっかりということも多いように、相手を100％理解して恋愛・結婚することも難しい。むしろ恋愛や結婚は相手を理解できなくなる経験の連続であろう。それに、相手も自分を選択するのであり、そこにはつねにすれ違いが伴う。実際には自分の選択だけで決まる人生は絶対にない。仮に選択の自由がかなりあるとしても、選択の自由が生きる自由そのものだというわけではない。

「たったひとつ確かなことがあるとするのならば」、自分だけの選択で人生を歩めるということではなく、まして「君は綺麗だ」ということではなく、親と生まれ落ちた環境だけは子どもには選択できないということである。だからこそ、若者のあいだに「親ガチャ」という言葉が流行るのである。

「親ガチャ」とは、お金を入れるとフィギュアなどが出てくるガチャガチャのように、親も希望するものが出てこないということである。いや、ガチャガチャなら何パーセントかの確率で希望するものが出てくるが、子どもはそもそも親を希望するチャンスがない。良い親の下に生まれたら幸運であり、悪い親の下に生まれたら不運であり、普通の親の下に生まれたら普通の運である。「性格」が良い親の下に生まれるのは宝くじで1億円が当たるよりは確率が高いと思うが、かつ金持ちとか、頭が良いとか、「設定」を増やすと、宝くじ並みに確率が下がるかもしれない。結局、宝くじが外れてもあきらめざるを得ないように、価値観クラスタにおいても「あきらめ派」が多数派となるのだ。

注　もちろん過去にどれだけロマンチックラブがあったかはわからないが、団塊世代のように見合い結婚ではなく恋愛結婚ができるというだけでロマンチックラブ的なものを感じることができた世代はある時代に存在したと言えるだろう。ロマンチックラブが日本で最も実現可能だと信じられたのは見田宗介が言うところの「理想の時代」と「夢の時代」（1945〜74年）であろう。

運命、宿命、奇跡

ヒゲダンは「運命」だけでなく「宿命」「奇跡」という言葉も好きなのか、夏の甲子園の行進曲で使われた曲はその名も「宿命」。「夢じゃない　涙の足跡」「奇跡じゃなくていい　美しくなくていい　生きがいってやつが光輝くから」「宿命ってやつを燃やして　暴れ出すだけなんだ」というように、「夢」「奇跡」「宿命」という言葉がこれでもかと繰り返される。夢や奇跡や運命を信じられないが、宿命、つまり自分の生命に宿った、自分が逃れられないものを燃やせと歌う。宿命は自然科学的に言えば遺伝子であり、社会科学的に言えば育った環境である。「親ガチャ」である。逃れられない自分の根源を使い切るしかないじゃないかという歌詞にも読める。

また「設定、関係、性格、価値観」がすべてかみ合うのはまさに奇跡のようなものだろう。あるいは「設定、関係、性格、価値観」を超越したところで奇跡は起こる。『君の名は。』『天気の子』がそうである。それらでは宿命的な出会いは、条件検索の繰り返しではなく、まったく無条件に、まったく偶発的に、運命的に起こる。しかも、流星群、天気、神社の巫女といった人知を超えた自然や長い歴史がストーリーや主人公に大きな影響を与える（注1）。それが現代の若者に感動を与えるのだ。現実には運命的な出会いというほどの出会いはなく、ただ親と生まれ落ちた環境を選べないということくらいしか運命や宿命を感じることは少ないからである（注2）。ためしに「奇跡じゃなく」「奇跡なんかじゃなく」という言葉のある歌詞をネットで検索したら最近20年間ほどの曲だけで20曲以上あった。ＧＲｅｅｅｅＮ「キセキ」などである。最初はスピードの「White Love」かもしれない（1997年）。あ、もっと前にユーミンの「やさしさに包まれたなら」があったが、これは男女の奇跡の歌ではない。

NHK放送文化研究所「『日本人の意識』調査」で「奇跡を信じる」若者（16～29歳）が増えた時期がある（「信じる」というより「信じたい」「あればいいな」という心理だとは思うが）。5年ごとの調査で1993年から2008年にかけてである。つまり、ヒゲダンの藤原聡が2歳から17歳の時代である。到底因果関係は語れないが興味深い対応である。「奇跡を信じる」若者は2013年、18年は減っているが、18年も、若者（16～29歳）では「奇跡を信じる」者が29％なのに、高年層（60歳以上）では6％しかいない。「あの世」も若者は21％で高年層は6％。「お守り・お札」も22％対11％。「易・占い」も12％対3％で若者が多い。かつては「あの世」が近い高年層ほどそれらのものを信じる人が多かったのに、近年は若者ほど信じる人が多いのである。そのためか、かつては多様な本を出していた出版社が今は占いの本で生きているという話は1つや2つではない。50年ほど前までは社会をよくすることができると信じられていたし、そのためには知識人の本を読むのがよいと思われたが、反主知主義化し、自己責任意識が強まった現代では、若者は（若者だけではないが）社会をよくすることを考えるより、占いに頼るようになるのである。われわれがつねにスマホを見つづけるのもいつか幸運の知らせが来ないかと待っているのであって、その意味でスマホは一種の護符である。

注1　『ユリイカ』2016年9月号特集「新海誠」で仏文学者の中田健太郎は「文学にせよ映画にせよ、みんな主題が小さくなってきて、物語が作りにくくなっていると言われる時代に、新海さんの描く恋愛は絶対に運命的だし、ある種壮大なんですよね」と言っている。アニメだからいくらでも非現実や奇跡を描くことができるのは当然で、それは宮崎アニメでも同じだが、宮崎アニメが現代をあまり描かず、舞台が日本とも限らないのに対して、『君の名は。』も『天気の子』も現代の日本（東京）が舞台であるために、かえって奇跡性を増幅させる。

蛇足だがこの特集を読んでいたら畠山宗明の論文に私のファスト風土論が出てきた。新海の『秒速5センチメートル』の舞台が東京・栃木・鹿児島であることに触れ、「伝統から切り離された場における共同性や風景の均質性」の「全国化」が「とりわけ新海が登場した2000年代初頭に」「トピックになっていた」。「全国化した均質空間は、しばしば地域性を全面的に欠落した、記号化した空間として描かれてきた」のだが、その空間をどこに設定するかというときに「北関東」が選ばれたという。「どこかでなければならないが、原理的にはどこであっても良い」任意の空間だからである。私のファスト風土論はたしかに北関東をファスト風土の最も原型的な場所として選び、実際、宇都宮、太田、佐野、藤岡、小山などを私は取材してきた。だから私としてはファスト風土論と新海作品とに何らかの通底するものがあるというのは非常に面白い。地域性が縮小し、都会でも東京でも東京郊外でも田舎でもない無名の空間が拡大したとき、新海的な、人間が地域ではなく日本でもなく、いきなり宇宙や天気などに直接する世界像が生まれたという仮説は大いに成り立つ。

注2　もちろん運命的出会いといっても、狂おしいほどの恋愛だけが運命的出会いとは限らず、あっという間に熱が冷めても30年も一緒に暮らしている夫婦も、落ちこんでいる時に限ってなぜか必ず現れる嫌な奴との腐れ縁も、それはそれで運命的なのであるが。

現代の若者の優しさ?

逆に言えば、現代の若者は恋愛が（恋愛に限らないが）うまくいかなかったにしても、それは「設定、関係、性格、価値観」などが合わなかったからだと思って納得しようとする。友人とうまくいかない、恋人の行動が理解できない、ということがあっても、それぞれに「設定、関係、性格、価値観」が自分とは違う人として納得するように努めるのであろう。たとえば、彼の家庭はシングルマザーらしいとか、あまりお金に余裕がないらしいとか、さまざまな事情が複雑に絡まって彼を形成しているのだと推論して、彼を許容するのである。それは複雑な時代を生きる現代の若者の一種の優しさでもあろう（注）。

このように90年代以降の若者は、つまり団塊ジュニアから平成世代までの若者は、あまり発展しない、すでに固定化した社会の中で育ったためであろうが、自分の力ではどうしようもない社会、制度などに対して反抗せず、諦めを持って許容し、かつ科学では説明できない不合理主義に傾きやすい傾向がある。それは、受験勉強をする人が増えて神頼みをすることが増えたからかもしれないし、神話的なモチーフを多用するテレビゲームの影響もあるような気がする。いずれにしろ、戦後まもない、個人主義と民主主義と合理主義が進歩であり夢であり正しいものだと信じることができた現在の60代以上とはかなり違う傾向である。

あるいは2章で述べたように、デジタル技術などの「魔法」によって、われわれは60年ほど前にはまったく想像もしなかった暮らしをしている。魔法のような技術が発達した時代だからこそ、あるいは、にもかかわらず若者は科学的合理主義ではなく、むしろ反対に宗教的不合理主義に親しみを感じるのである。

注　だからか!と気づいたのは、若者に安倍晋三首相が嫌われなかった理由である。ウソが多く、スタンドプレイも多い安倍氏であり、昭和のおじさん的正義観からすると許せない奴なのだが、若者から見ると、「彼にもいろいろ設定、関係、性格、価値観などの背景があるのだ。だっておじいちゃんにやたら期待されたらしいよ、天皇陛下と同じで生まれたときから総理大臣になることを宿命づけられていたわけだから、なのに勉強は苦手だったんだから、大変だよね。だって自由がないじゃないか。何にでもなって良いよと自由に育てられていないから、総理大臣になると勝手に振る舞っちゃうんじゃないかな」などと理解してあげようとするのではなかろうか、と私は想像する(笑)。

多様な設定を織り込んだ歌詞

「プリテンダー」に話を戻すと、そもそも「世界線」と「人生柄」とは何だろう。おそらく2人の世界、人生がまるで違うということを表している。2つの世界が平行する2本の線のように交わらないのだ。人柄ではなく「人生の柄」が違う。なかなかすごい造語である。

この歌のありきたりの「設定」としては、単に彼女には彼氏がいたというものであるが、それでは平凡すぎる。昭和的な解釈をすると、彼と彼女は生まれ育った階層が違う。彼は下町の労働者階級の生まれ。彼女は東京の山の手のお金持ちの娘。だから結ばれない。あるいは敵対する親同士の恋。ロミオとジュリエットのような関係(眞子さんと小室さんも本当は結ばれない運命のはずなのだが、二人の強い意志で結婚が実現できたのは「奇跡」に近い)。

昭和の解釈その2としては、彼は仕事でアメリカに赴任することになった。そこで彼女にプロポーズし、結婚して一緒にアメリカに行こうと言う。これは1980年代のプロポーズの必殺パターンであり、私のまわりにもシリコンバレーや、ドバイや、シンガポールに行くから結婚してくれとプロポーズして結婚した例はすぐに見つかる。そして彼女たちは現地でバカでかい豪邸に住み、使用人たちから恭しくマダムと呼ばれて高級車に乗り、買い物にでかけるような暮らしをした。

だがここで彼女が「イエス」と言えば「プリテンダー」は成り立たない。彼女は「ノー」と言ったのだ。「いや、私日本でやりたいことがあるから、あなた、一人で行って」。あるいは逆に、彼が彼女に家庭的な女性を望んだ。大学を卒業したら結婚して田舎に一緒に行ってくれと。ところが彼女は、「いや、私、将来国際的な仕事がしたいの。だから実は来年アメリカに留学するんだ。ごめん」と言った(女性が男性と別れてアメリカに行ってしまった最初の例は『東京ラブストーリー』の赤名リカだろうか)。これくらいは今時いくらでもある話だろう。

「え？　そうだったんだ。でも彼女、留学資金をどうやって貯めたんだろう。彼女の家はそれほど裕福じゃないはずだが。」と彼が不思議がっていると、ＳＮＳで誰かが教えてくれた。なんと、彼女は過去２年、風俗で働いて１０００万円を貯めていた！　ショック!!　いつも同じＧＵを何年も着ているだけだから、そんなに稼いでいるなんてまったく想像しなかった!!　でも、これくらいの話も今時大いにありうる。あるいは、そもそも彼が好きになったのが風俗で出会った女性で、何度も彼女に会うほど好きになってしまったが、だからといってさすがに結婚するわけにはいかないよなあという状況かもしれない。だがそんな状況も今時全然ありえなくない。

私は「プリテンダー」の歌詞の意味が知りたくて、いろいろな人に尋ねた。20代の女性から50代の男性まで。20代の女性４人と30代の男性は「プリテンダー」が好きで、男性は「永遠に歌い継がれる名曲」だと言った。女性のうち２人はガールズバーの女性で、２人にはカラオケで「プリテンダー」を歌ってもらった。

びっくりしたのは、そのうちのひとりが一流国立大学大学院社会学専攻博士課程で人類学を学んでいる女性で、彼女は「これは同性愛の歌ですね」と言ったことだ。つまり、同性愛の男性がストレートの男性を好きになった（またはその逆）歌だというのだ。こういう学歴と専門性だから、同性愛やＬＧＢＴを差別しての解釈では絶対ない。私は意外な解釈に驚いたが、同性愛説はもうひとりの20代の女性も聞いたことがあるという。ネット上にもそうした解釈について書いたブログはいくつかある。行きつけのバーのマスター（50歳くらい？）に同性愛説をどう思うか聞くと、彼はスマホで歌を再生しながら歌詞を読んでくれて、普通の恋愛ならここまで悩まないから、ここまで悩むのは同性愛かもしれないという解釈がされるのだろうと教えてくれた。なるほど、そうならば「プリテンダー」では、男性が好きになったきれいな彼女が実はレズビアンだったという解釈もできるわけだ。

先ほどの30代男性も同性愛説に納得がいく顔をした。彼に言わせると、仮に好きになった彼女が風俗嬢だとわかったとしても、結婚はともかく、好きなら付き合うだろう、同性愛の男性がストレートの男性を好きになるくらいの「設定」でないと、あれだけ２人の間に壁を感じる歌詞、胸の痛む歌い方にはならないというのである。もちろん人によって最大の「壁」となるものは違うだろうが。

今書いているこの文章を途中段階で彼に読んでもらうと、彼から分析が返ってきた。

「改めて同性愛だと思って歌詞を読むと、相手に素直な気持ちを伝えると、今時点での「君にとっての僕＝僕にとっての君＝気の合う仲のいい友達」という関係を保つことはできない。それがゼロになってしまうくらいなら、今の関係は関係で悪くないと自分を納得させる（演じる）ほかない、というような感情が読み取れる気がしました。本心、直感、欲望、野性的なものを、社会の中で（それらをないもののように扱って、外側に追いやる力の中で）調停したりどうにか折り合わせて自己を保つための、自分自身への説得材料「設定、関係、性格、価値観ｅｔｃ」を自分で必死に探している、という感じでしょうか」

ついにプリテンダー同性愛説が完全に説得力をもってしまった。そして、はあ、そうかと、私は自分の青年時代との大きな違いを感じた。私の若い時代は、今時の若者のようにすぐに男女がくっついたり離れたりしなかったし、まして私のようにモテない男だと、どんな片思いだって「プリテンダー」並みに苦しむと思う。だから同性愛でないとここまで苦しまないという発想はまったくなかった。こうして私は、「プリテンダー」の歌詞は、人それぞれによって非常に多様な「設定」を思い描き、自己を投影できる歌詞なのだということを強く実感した。

ネットのブログでも次のような解釈がされている。この曲には「「男」「女」という単語が一つも出てこないという性別に対する表現の曖昧さがある。「君」「僕」「あなた」「誰か」「ヒト」という単語は何度も出てくるが、その性別は決して固定されていない。「僕」という一人称は一般的には男性が使用するものであり、この曲の歌詞は男性が書いているということも間違いないのだが不思議だ。何度歌詞を読んでも「男と女」という構図を連想させない。誰をどう当てはめても、どうにでも当てはまるのだ。曲の流れの中に柔軟な可変性を感じられる。性別や年齢や職業や立場など関係ない。「人間」であればどう当てはめても当てはまるようになっている。」（けけで（28歳）音楽文 rockin'on.com）。最近は人気アーチストのあいみょんが「僕」を主語にして唱うことがあるので、現代のJポップスは男と女の入れかわりが一般化してきたということか。

さらに彼は書く。「これはインターネットやスマートフォンやSNSが普及し、24時間365日いつでも他人の状況をうかがい知ることができる状況になったからこその姿ではないだろうか。」「自分対他者という構図での苦悩であるように思えてならない。24時間365日、自分を他者と比べては「違い」を認識し劣等感や優越感に浸らざるを得ないこの時代だからこそ、このようなライティングが人々の心に突き刺さるのではないだろうか。」「科学や技術が進み完璧さが追求され人々に自由や便利がもたらされればもたらされるほど、コンピューターや人工知能ではない生身の人間だけが持つ「曖昧さ」が浮き彫りになりそれがまた「エモい」という表現で称賛されるようになっている気がする。そしてそんな「曖昧さ」に助けられ救われる機会が増えた分だけ、それに苦しみ悩まされることも増えたのではないか。」「「多様性を認め合いましょう」などということが軽率に必死に叫ばれるこの世の中。そこまで必死に叫んでいるということそのものが、この国に生きる人間が最も苦手なことを見事に指し示しているような気がする」。なかなか的確な分析ではないだろうか。

そもそも「プリテンダー」とは「〜のふりをする人」「詐欺師」といった意味である。「仮面をかぶった人」と言い換えてもいいだろう。誰もが男性・女性・ＬＧＢＴでもありえて、将来の計画を持つまじめな学生であるとともに夜の世界の住人でもありうる。複数の仮面を取り替えながら生きているのだろう。

そして、「プリテンダー」は人生においてどのような「設定」もありうるのが現代だ、ということを教えてくれる。さらに言えば好きになった人がアニメやゲームのキャラクターだったということもありうる（Ｐ２１５）。

そういう「個人化」と「多様性」と「寛容」の時代を当然のものとして現代の若者は生きているのだと、私はやっと理解するようになった。

「低い承認」の時代

このように各人の「設定、関係、性格、価値観」の「個人化」が進み、かつ各人が各人の「設定、関係、性格、価値観」を尊重しなければならなくなった時代においては、社会学者ギデンズのいう「純粋な関係」の可能性が限りなく縮減し、孤独感が増す。曖昧な孤独感が無意識の底に広がっているとも言える。あるいはいつどこで孤独になるかわからないという想定をあらかじめしている世代なのではないか。「設定、関係、性格、価値観」が多様化し、各人が各人の「設定、関係、性格、価値観」を尊重するということは、裏を返せば、自分の「設定、関係、性格、価値観」が限りなく相対化されることになるからだ。

君の「設定、関係、性格、価値観」、あるいはそれらの選択は「絶対正しい」とは言われないのであり、そこに自信を持つことができない。昔なら「男らしい男」や「女らしい女」が承認されたが、今は「女らしい男」も「男らしい女」も同じように承認される（されねばならない）のである。だが、そのどれもが同様に高く承認されるのであればいいが、どれもが「低い承認」にしか得られない時代が現代ではないだろうか。「広く薄い承認」と言ってもよい。

寛容toleranceとは語源的に忍耐tolerateである。本当は認めたくないが、我慢して認めるのが寛容である。それは「低い承認」である。それでも承認されないよりは良いのだが、私がなんとなく違和感を感じるのは、寛容主義者は不寛容な人に対して不寛容だと思うからだ。民主主義は反民主主義的な人の権利も守るのが原則である。とすれば、寛容主義者は不寛容な人の意見も尊重すべきだと思うが、ほぼ絶対に尊重しないだろうと思う。そして多くの人たちは、特に寛容でも不寛容でもなく、なんとなくポリティカルコレクトネスに流され、批判を恐れて寛容な振りをしているだけではないか。そういうある意味で偽善的な寛容社会は、個人が個人の内面に立ち入らないという無関心を助長するだけではないかという気がする。そしてその無関心が「個人化」をさらに進めるのである。

とはいえ、後に見るようにスポーツが得意な男性は恋人ができやすいというような、承認がより得やすい行動はあるのであって、まったく承認が均等に相対化したわけではない。たとえば自分の娘が優秀で健康な男性と結婚するなら「うれしい」が、女性と結婚すると言われたら、今はそういう時代だからといって「許容」し「承認」するとしても、積極的に「うれしい」と思う親は少ないだろう。それは少なくとも現状ではまだ相対的に「低い承認」を与えられるに過ぎない。そして相対的に「低い承認」を最近は「寛容」という美辞で表現しているように思われてならない。もともと「高い承認」を得やすいものに対して寛容は不要だからである。

選択の困難

このように現代では「個人化」といっても、自分の中に確立された、他者から承認される個人が増えたとは限らない。単に個人が相対化されただけだという面がある。各個人は深くは承認されておらず、ただ、まあ、そこにいていいよと許容されているだけである。

特に若いときは個人はまだ確立されていない。個人は所詮社会の情報に押し流され、そこにアンテナを張って自分の行動を選択するしかない弱い存在である。特に現代は情報が過剰である。情報の受信だけで疲れる。SNSで常時相互監視されている。

人類学者の上田紀行が書いていたが、「他人の目を気にせずに生きよう」と彼が言ったら学生に「他人の目を気にするななんて言葉を初めて聞きました」「中学生になってスマホを持つようになったら、学校から帰った後も同級生たちがうわさ話しているんです」「それからずっと空気を読んで生きてきた気がします」と言われたそうだ（日本経済新聞2022年1月19日「あすへの話題」）。そうした中で「自分らしさ」を確立すればむしろ「うざがられ」るのであり、それでもなお自分で尊重し、承認するのには強い意志がいるだろう。また価値観や生き方などの「個人化」はよいものだとされているとすれば、未確立の個人は心理的にも時間的にも細かく分割されることになるだろう。個人individual（分割不能なもの）がさらにdivide（分割）されるのだ（注）。

具体的に恋愛などの人間関係に即して言えば、すぐに相手を選択して付き合うが、選択が間違っていたとわかればすぐに別れるようになる。恋愛は両者の一体感や共同性を生み出す作業のはずであったが、現代では恋愛は個人と個人の短期的・選択的な接触でしかなくなるからだ。だから先ほどの「プリテンダー」では「もっと違う」「設定、関係、性格、価値観」で「出会える世界線　選べたらよかった」と、「選択の困難」を歌うのである。

そういう意味のことはすでに100年近く前にロレンスが『現代人は愛しうるか』で言っている。一瞬燃え上がるだけの恋愛が永続的な愛情に変わるためには両者が一体感と共同性を作り出す相互の意志と行為が必要であり、さらには自然との一体感が必要であるとロレンスは言い、だが自然という全体と離れた個人主義が広がるとその意志と行為が困難になるというのである。

もはや誰も永続的な愛情を――たとえそれが幻想だとしても、いや、幻想に決まっているのだから——信じなくなっている。そのかわりに、その代償であるかのように「つながり」「ご縁」が大事だという若者もまた一方で増えているように思われる。

注　小説家の平野啓一郎は2012年に『私とは何か——「個人」から「分人」へ』で「分人主義」を唱えた。ひとりの人間にはいくつもの人格があり、その集合体が人間であるという考えである。この考えはメタバース内のアバターとして生きる人たちに親和性が高いらしく、バーチャル美少女ねむは次のように書いている。「いまメタバースではアイデンティティを自在にデザインして「なりたい自分」で生きていくことができるようになりつつあります。それはもはや人間がもともと持っている多様な側面を認める、という状況を完全に超えています。私たちの心の中に多様な側面「分人」を積極的に探し出して、姿かたちを与えて、自由に活動させることができるようになったのです。」(バーチャル美少女ねむ『メタバース進化論』)

恋愛のストリーミング化あるいは恋愛・性からの撤退

話は少し変わる。文章や音楽や映像を書籍やCDやLPやDVDなどで鑑賞せず、インターネットからのストリーミングで楽しむ時代が来ている。LPレコードを愛する私もついにブルートゥース対応のスピーカーを買って、アナログもデジタルも愛用している。

だったら恋人もストリーミングされてくれればよいのだろう。好きなときだけ自分の横にやってきて、心地よい雰囲気をつくってくれればよいのである。飽きればストップ。次はちょっと違った恋人を検索し、ダウンロードすればよい。くっつきやすいが別れやすい現代の恋愛（らしきもの）は、まさに恋愛のストリーミング化のようなものだろう。最近はメールをすれば女の子が自宅に来てくれるとかマッチングアプリで出会える風俗もあるから、これも一種のストリーミング化であろうか。さらにメタバースの時代になれば、まさに恋愛対象となる人物か猫か犬かしらないが、何かがサブスクリプションでいつでもダウンロードできるのかもしれない。

電子書籍や音楽・映像のストリーミングに抵抗があって、やはり本は紙で読みたいという人はいるし（私もそうだ）、私のように音楽はアナログのレコードで聴きたいという人は増えている。もしかするとそのうち恋愛も、やっぱりリアルに深く長く付き合いたいねという風潮が増大してくるのかもしれないが、今のところ、そういう傾向はないようだ。

これまで書いてきたことと矛盾するようであるが（矛盾しないとも言えるが）、実は近年若者の性行動は消極化している。そこには、いくつか理由があるだろうが、一体感と共同性を生み出す恋愛を求めているが、それが「個人化」の時代、選択の時代には困難である、不可能であるということを感じた若者が、そもそも恋愛から撤退しているという理由もあるのではないだろうか。

たとえば日本性教育協会の調査によると、若者の性行動は1974年から99年ないし2005年まで積極化していた。しかしそれ以降は消極化し、2017年の数字を見ると、デートは74年よりも少ないくらいだし、キスや性交は大学生だと1987年と同じくらいである。つまり30年前と同じ水準に戻ったので、子どもの行動が親の世代にまで戻ったと言える。

蛇足だが、日本性教育協会というのは面白い団体で、性行動が積極化しても消極化しても問題として研究するのである。適切な性行動とはどれくらいなのかは示されない。私からすると1987年の性行動くらいが「適切」だと言えなくもないので、現代の若者の性行動は正常化したとも言えるがどうなのだろう。

それはともかく、世代論的には、性行動が最も積極的だったのは76〜85年生まれくらいであり、親が戦後の45〜55年生まれくらいの世代であろう。個人の自由を謳歌する世代である。こうした親の影響は当然考えられる。

また76年生まれと言えばコギャル世代の始まりであり、私の定義する「真性団塊ジュニ

2005年以降若者の性行動は消極化したと言われる

図表3-3-2　主な性行動経験率

（%）

経験の種類	調査年度	1974年	1981年	1987年	1993年	1999年	2005年	2011年	2017年
デート	大学男子	73.4	77.2	77.7	81.1	81.9	80.2	77.1	71.8
	大学女子	74.4	78.4	78.8	81.4	81.9	82.4	77.0	69.3
	高校男子	53.6	47.1	39.7	43.5	50.4	58.8	53.1	54.2
	高校女子	57.5	51.5	49.7	50.3	55.4	62.2	57.7	591
	中学男子	—	—	11.1	14.4	23.1	23.5	24.7	27.0
	中学女子	—	—	15.0	16.3	22.3	25.6	21.8	29.2
	調査年度	1974年	1981年	1987年	1993年	1999年	2005年	2011年	2017年
キス	大学男子	45.2	53.2	59.4	68.4	72.1	73.7	65.6	59.1
	大学女子	38.9	48.6	497	63.1	63.2	73.5	62.2	54.3
	高校男子	26.0	24.5	23.1	28.3	41.4	48.4	36.0	31.9
	高校女子	21.8	26.3	25.5	32.3	42.9	52.2	40.0	40.7
	中学男子	—	—	5.6	6.4	13.2	15.7	13.9	9.5
	中学女子	—	—	6.6	7.6	12.2	19.2	12.4	12.6
	調査年度	1974年	1981年	1987年	1993年	1999年	2005年	2011年	2017年
性交	大学男子	23.1	32.6	465	57.3	62.5	63.0	53.7	47.0
	大学女子	11.0	18.5	26.1	43.4	505	62.2	46.0	36.7
	高校男子	10.2	7.9	11.5	14.4	26.5	26.6	14.6	13.6
	高校女子	5.5	8.8	8.7	15.7	23.7	30.3	22.5	19.3
	中学男子	—	—	2.2	1.9	3.9	3.6	3.7	3.7
	中学女子	—	—	1.8	3.0	3.0	4.2	4.7	4.5

資料：『若者の性白書』（2019、一般財団法人日本児童教育振興財団内 日本性教育協会）

ア」の走りである。彼女たちは超ミニスカートにルーズソックスで渋谷を闊歩、それどころか真冬の稚内でもそういう格好で歩いていた。76年生まれは、生まれてから最も多感な年齢である14歳となる90年までが、オイルショック後からバブルピークまでに当たり、おそらくそうした成育環境も彼らの自由な価値観と行動に影響を与えたのだろう。

それが2005年以降に性行動が減少した理由は、やはりインターネットなどの影響であろうか。2010年以降にはスマホが普及し始めた。結果、人と直接会わなくてもSNSでのやりとりで済ますようになり、デートをしなくなった。直接会わなくなればキスも性交も減るだろう。また女性の権利が正当に認められるようになった結果、合意なき性行為が違法であるという認識が広がったことも若者の安易な性行動を抑制したかもしれない。

それと関連して、早稲田大学のインカレサークル「スーパーフリー」のメンバーが女子大生らへの輪姦を1998年から常習的に行っていたとして（輪姦された女性の数は数百人以上！だという）、2003年に警察に被害届が出され、東大、慶應、学習院など首都圏の有名大学の学生らとともに14人が準強姦罪で実刑判決を受けたという事件があったことも、2005年以降の犯罪および犯罪に近い性行動を抑制したのではないか。こうした犯罪的な行動が減った結果性行動が消極化したのだとすれば、それは正常化に向かったと言うべきであろう。

3-4 リアルからの撤退・メタバース

図表3-4-1　各バーチャル関係につけた人の割合

A. ペット　(%)

	20～24歳未婚	25～29歳未婚	25～29歳既婚	30～34歳未婚	30～34歳既婚
男性	4.4	3.8	5.3	3.3	4.1
女性	4.4	5.6	3.2	7.2	2.2

B. キャバクラ・メイドカフェなど　(%)

	20～24歳未婚	25～29歳未婚	25～29歳既婚	30～34歳未婚	30～34歳既婚
男性	5.7	7.5	13.8	9.8	13.1
女性	1.1	1.1	1.9	0.8	1.4

C. アイドルやタレント、スポーツ選手など　(%)

	20～24歳未婚	25～29歳未婚	25～29歳既婚	30～34歳未婚	30～34歳既婚
男性	13.3	13.6	12.5	12.5	11.8
女性	19.2	17.6	16.8	16.1	13.9

D. アニメ、ゲーム等のキャラクターなど　(%)

	20～24歳未婚	25～29歳未婚	25～29歳既婚	30～34歳未婚	30～34歳既婚
男性	16.3	13.1	5.8	13.8	5.8
女性	15.5	15.2	11.8	12.0	7.4

E. 性的サービス産業（風俗）　(%)

	20～24歳未婚	25～29歳未婚	25～29歳既婚	30～34歳未婚	30～34歳既婚
男性	7.8	11.2	11.7	13.7	14.6
女性	0.9	0.7	0.7	0.8	1.1

資料：明治安田生活福祉研究所「男女交際・結婚に関する意識調査」2017

ヴァーチャル恋愛

　また、若者の性行動の消極化の理由としては、ヴァーチャル上の人物に性愛を感じて、リアルな人物にはあまり感じない若者が増えたという可能性も完全に否定することはできないだろう。

　明治安田生活福祉研究所が15～34歳の男女1752人に対して2017年3月に行った「男女交際・結婚に関する意識調査」でAペット　Bキャバクラ・メイドカフェなど　Cアイドルやタレント、スポーツ選手など　Dアニメ、ゲーム等のキャラクターなど　E性的サービス産業（風俗）を恋愛の対象にしているかどうかを聞いたところ、男女ともに約3割がそれらの項目の最低いずれか1つにイエスと回答した。最も多いのは「Cアイドルやタレント、スポーツ選手など」で、どの年齢でも女性のほうが未婚でも既婚でも男性より多いのは想像通りであろう。

次は「Dアニメ、ゲーム等のキャラクターなど」であり、特に20代は男女ともほぼ15%がイエスと回答した。私はアニメ、ゲームに疎いので意外だったのは、アニメ、ゲーム等のキャラクターに疑似恋愛するのは男性だと思っていたが、女性も男性と差がなかったことである。

また「Bキャバクラ・メイドカフェなど」は25～29歳既婚男性で14%、「E性的サービス産業」は25～29歳既婚男性で12%。30～34歳既婚男性は15%ほどだった。恋愛対象というのだから、1回だけ会ったのではなく、常連客として何度も通う相手がいる人が3割か5割かわからないが多数いるということであり、こんなに多いのかと思った。未婚より既婚が多いのも興味深い点である。未婚だと付き合う相手を変えることができるが、既婚だと妻を変えられないので、倦怠期に入った日常から脱出するために「キャバクラ・メイドカフェなど」に行くのかもしれない(笑)。

いずれにしろ「個人化」が進んだ現代では、先述したように個人と時間が細かく分割されるのであり、その分割された限定的な時間の中で、個人がある特定の分割された「仮面」をかぶってでしか恋愛が成り立ちにくくなっている、と言うことはできる。いわば「恋愛のコスプレ化」である。さらにメタバースの時代には恋愛も性行動もアバターを使って行うことができるそうである。こうして現実の恋愛や永続的な結婚からの撤退はますます進むのであり、恋愛や結婚はもちろん離婚ですらメタバースの中で行われる日も来るのかもしれない。

バーチャル美少女ねむと彼女の友人でスイスの人類学者のミラが全世界のソーシャルVRユーザー1200人に行った「ソーシャルVR国勢調査2021」によると物理男性の使うアバターの76%が女性。物理女性のアバターの16%が男性。アバターを女性にする物理男性は61%が可愛くなりたいから、27%が自分を表現しやすいから。メタバース内では相手とのコミュニケーション時に物理的現実よりも近くなると感じる人が7割近い。メタバース内で恋に落ちた人は40%(累計利用時間5000時間以上の人では76%)。恋に落ちるとき相手の物理的性別は重要ではない人が75%。恋愛関係になった人が31%。セックスをした人が32%(累計利用時間5000時間以上の人では66%)(バーチャル美少女ねむ『メタバース進化論』より)。先述した風俗嬢への恋愛が13~14%なのにメタバース内で恋に落ちた人が40％もいるとは不思議といえば不思議だ。逆に言うと恋に落ちることが目的でメタバース内で暮らす人が多いのだろうとも言える。物理的男性もアバターでは女性となり、自己表現をしやすくなることで恋が成立しやすいのだとも言える。年齢も関係ないだろうし、超高齢社会にふさわしいのかもしれない。

このように若い世代は（若い世代だけではないが）、恋愛感情をリアルな異性などに求めるのでなく、メディア上のリアルあるいはヴァーチャルなキャラクターに求めたり、リアルではあるが役割演戯的なサービスをするメイドカフェや風俗に求めたりすることがかなり常態化しているようである。この背景としては、メディアによりアダルト系の静止画・動画や、キャバクラ、メイドカフェ、風俗店の情報が簡単に入手できることが大きな影響を与えたことは間違いない。もちろん若い人だけでなく、60代以上でもヴァーチャル恋愛をしている人はいるのかもしれない。

他方、この調査では論究していないようだが、もともと性への関心が弱い若者にとってはメディアに溢れる露骨な情報を気持ち悪いと感じられ、結果、リアルな性への関心を弱めたとも思われる。

また、性への関心が弱まるだけならまだいいとしても、それが人間関係全般からの撤退

活動的な人は恋人ができやすく、不活発な人は恋人ができにくい

図表3-4-2　25～34歳男女別　余暇行動別の恋人の有無（30人以上の項目のみ）

男性	人数	いる
全体	1885	24.3%
海水浴	52	61.5%
バスケットボール	47	57.4%
テニス	81	55.6%
スノーボード	77	51.9%
バーベキュー	116	51.7%
キャンプ、オートキャンプ	89	51.7%
サーフィン、ボディボード	31	51.6%
リゾート地	83	50.6%
ボウリング	77	50.6%
ゴルフ	112	48.2%
遊園地やテーマパークなどのレジャー施設	125	48.0%
釣り	90	47.8%
ビリヤード	38	47.4%
スキューバダイビング、スキンダイビング	36	47.2%
サッカー、フットサル	99	45.5%
バドミントン	38	44.7%
ハイキング、登山	86	43.0%
温泉	289	42.9%
競輪・競艇	43	41.9%
健康ランド、スーパー銭湯、岩盤浴	144	41.7%
競馬	106	41.5%
ヨガ、ピラティス、太極拳	34	41.2%
卓球	39	41.0%
スキー	64	40.6%

男性	人数	いない
全体	1885	69.1%
パソコン（ゲーム以外）	482	79.9%
3DSやPSP等の、携帯型家庭用ゲーム機でのゲーム	261	77.8%
パソコンでのゲーム・オンラインゲーム	267	77.5%
読書（マンガを除く）	347	76.4%
スマートフォンや携帯端末でのゲーム	515	75.7%
Nintendo Switch、PS5、Xbox 等の、据置型家庭用ゲーム機でのゲーム	446	75.6%
マンガを読む	511	75.3%

女性	人数	いる
全体	1457	35.3%
テニス	31	71.0%
スノーボード	42	66.7%
ドライブ	195	59.5%
海水浴	49	59.2%
健康ランド、スーパー銭湯、岩盤浴	117	59.0%
バーベキュー	84	58.3%
ハイキング、登山	48	54.2%
温泉	276	54.0%
ゴルフ	41	53.7%
リゾート地	79	53.2%
釣り	32	53.1%
観光、名所めぐり	248	50.4%

女性	人数	いない
全体	1457	59.1%
パソコンでのゲーム・オンラインゲーム	84	77.4%
パソコン（ゲーム以外）	205	72.2%
好きなタレント、アーティストのグッズ購入、追っかけ	224	70.1%
絵画、工芸、陶芸	52	69.2%
マンガを読む	481	67.6%
3DSやPSP等の、携帯型家庭用ゲーム機でのゲーム	166	67.5%
読書（マンガを除く）	369	66.9%

資料：三菱総合研究所・生活者市場予測システム（mif）2021

に結びつき、孤独や孤立を助長することもあるかもしれない。

ちなみにｍｉｆで25～34歳男女について、余暇行動別の恋人の有無を集計すると、男女ともにスポーツ、レジャーが余暇である人は恋人がいる割合が多く、パソコン、ゲーム、マンガ関係が趣味の人は恋人のいる人が少ない。女性は手芸、読書が趣味の人でも恋人が少ない（回答者数30人以上で、全体平均より15ポイントほど多い項目だけ表にした）。

要するに外向的で活動的な人は恋人ができ、内向的な不活発な人は恋人ができないというわかりやすい結果である（だが、リアルでは不活発な男性がメタバース内では男性から女性に変わって自己表現が得意になり活発になり恋人ができるという可能性も大いにあるが）。

寂しい個人がつながりを求める

大昔なら、人間は地域社会や会社などの集団に埋め込まれていたので、今で言う「個人」は存在しなかった。職業は親と同じであり、結婚も親が決めたし、ある程度年を取ればロマンチッククラブなど経ずに家のために結婚した。個人の意思は尊重されず、人間はいやいやであっても集団の規範に従っていたのであり、そのかわりに安定した地位を得ることができた。

しかし集団の規範が束縛的であるのが嫌だから、自らを集団から分断divideして誕生したのが「個人」である。その意味で個人は分断と不安を恐れてはならないはずなのだが、そこまでみんな強くないので、分断された不安な個人たちは寂しさのあまり「つながり」「ご縁」を求める。まあ、「いいとこどり」だと言われれば、そのとおりである。

「つながり」や「ご縁」を求めるが、ある程度わずらわしさも許容するのが「第四の消費」的な活動をする人たちであると思う。かれらは昔のような個人を束縛する集団を形成するつもりは全くない。だが、つながりをつくることには熱心である。そしてつながりづくりにスマホ、SNSを活用する。

また第四の消費的な価値観の一つである「近所の人とのふれあいを大切にしたい」については、「そう思う」「とてもそう思う」人は25~34歳では年収が高いほど多く、800万円以上の層では44%あり、また同じ800万円以上の層でも他の年齢より多い。つまり若くて高収入な人ほど近所の人とのふれあいを大切にしているのだ。

コミュニティ志向には、地方・地域の伝統的コミュニティを重視する考え方が含まれることも多いので「近所の人とのふれあいを大切にしたい」も自民党支持との相関が高い。

地方の再生を専門とするコミュニティデザイナーが超右翼の政治家とのツーショット写真

コミュニティ志向と自民党支持率には相関がある

図表3-4-3　近所の人とのふれあいを大切にしたいか別に見た自民党支持率

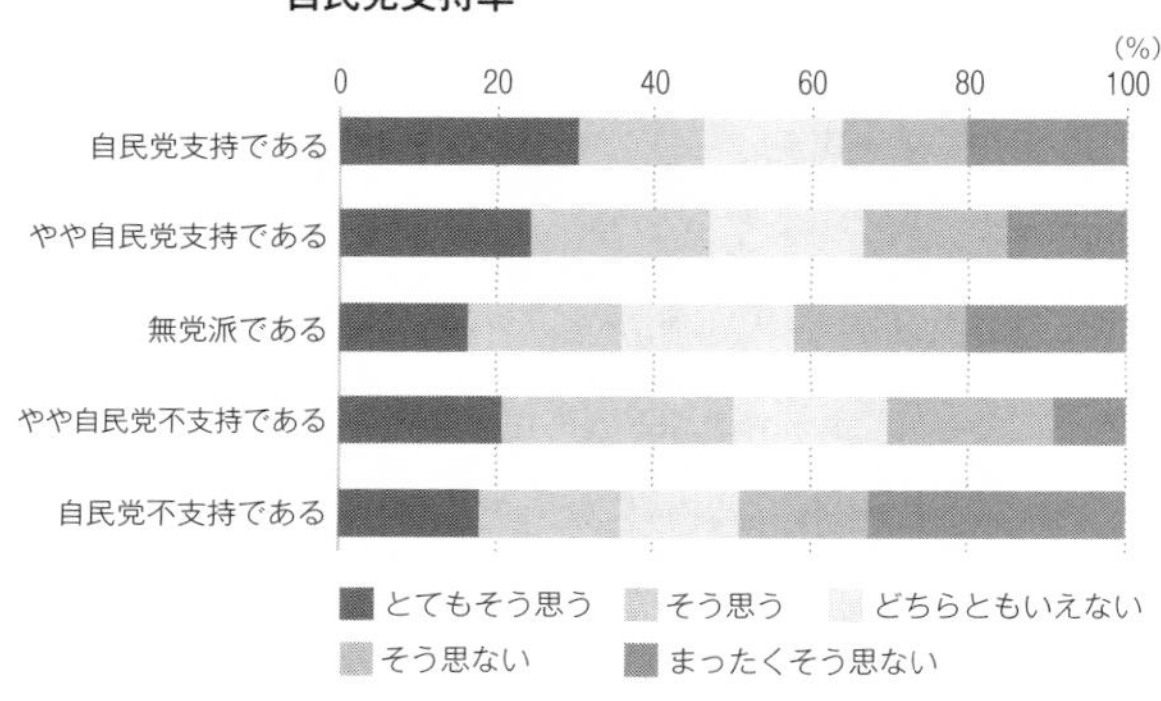

資料：下流社会15年後研究会「日本人の意識と価値観調査」2020

をSNSにアップしていたこともあり、コミュニティ志向と保守志向には親和性があるのだ。だがそのコミュニティは、極端に言えば選挙の時は簡単に買収されるという意味でのコミュニティかもしれない。

私が過去20年以上提案してきたコミュニティは、伝統的な共同体ではなく、異なる人々が必要なときに結びつくものであり、それを私は「共異体」と名付けた。だから第四の消費におけるコミュニティ志向もまた私は「共異体」的コミュニティ志向であるべきだと考えている。だが伝統的共同体と現代的共異体の差は微妙な差であり、実際「第四の消費」的な活動をする人たち、リノベーション業界の人たちは伝統的なお祭り好きである。だから伝統的な共同体的なコミュニティ志向と共異体的コミュニティ志向をはっきり分けることは難しい。むしろ現状では共異体的コミュニティ志向が共同体的コミュニティに包摂されてしまったとすら言える面もあるのではないか。

メタバースは孤独時代の第五の消費か？

また少し話が変わる。メタバースについて書いておきたい。しかしやはり孤独の問題とは関わる。

メタバースの中で暮らす人たちはまさに「いいとこどり」をしているのだと岡嶋裕史は言う（『メタバースとは何か』）。リアルな人間関係で生ずるわずらわしさを避けてヴァーチャル空間の中でのみ快適に生きようとするからである。

メタバースをテレビのニュースなどで見るとヴァーチャル上のショッピングセンターで買い物ができるとか、会議ができるといった例が出されるが、そんなことに意味があるのかと私は正直思う。ショッピングセンターや会議の場所まで行かないで済むのはありがたいが、ショッピングセンターだってリアルのほうが面白いだろうし、単なるネット通販なら現状でも問題ない。会議はＺｏｏｍを改良すればいいだろうくらいにしか思えない。

だがよく考えると、メタバース上のショッピングセンターなら自分に適したＡＩ店員が選べるかもしれない。商品知識があり、説明が上手で、愛想も良いカリスマＡＩ店員なら自分にとって最適な商品を気持ちよく買える。リアルな店舗でダメな店員に会うよりいい。

かつ、リアルなカリスマ店員は一度に一人の接客しかできないが、メタバース上のＡＩ店員は一度に何百人でも接客できるようになればメリットは大きい。そういうことが可能になるならメタバースショッピングセンターにも意味はある。

医者もそうで、近所の藪医者にいやいや通う必要はなく、メタバース上の名医に診てもらえばよいし、恋愛もメタバース上の恋人とすればよい。愛がＡＩに変わるのだ！

メタバース上でアバターとなって第四の消費的な小集団のサロン的つながりを得ることは簡単であろう。先ほどの岡嶋氏によれば、すでにメタバース上の空間の中で、何もしないでぼーっとして過ごす人がいるそうだ。有名な『ファイナルファンタジー』のゲームの中で、ゲームをどんどん進めずに、特定の場面の中でまったり過ごしている人もいるのだそうだ。

また様々なゲームの中の名シーンを訪ね歩く旅ができるソフトもあり、『地球の歩き方』のような本になっているという。荒木飛呂彦の大人気マンガ『ジョジョの奇妙な冒険』シリーズと『地球の歩き方』がコラボした『地球の歩き方 BOOKS 地球の歩き方 JOJO ジョジョの奇妙な冒険』が、2022年7月に発売されるという。ゲームやマンガが旅行の対象なのだ。

私はマンガやゲームにひどく疎いが、映画でたとえれば、『十戒』の海の割れるシーンや『惑星ソラリス』の宇宙船の中や『ひまわり』のウクライナや『ダーティハリー』のラストの工場のシーンや山本富士子主演『濹東綺譚』の玉の井地区などなどを、あたかも自分がそこにいるように訪ね歩けるソフトがあるならばやってみたいし、再現して欲しいシーンは無数にある。まさにコロナの巣ごもり状況下では素晴らしいヴァーチャル旅行になるだろう。眺めも風通しも悪い、近くに公園もない家に住んでいても、メタバース上にリラックスできる、感動できる空間を得られるのだから、こういうものは今後ますます増えるのだろう。

またメタバース上で不動産を取引することができるという。リアルにはない、メタバース上にしかない不動産を取引して利益を得ることができるというのだ。不思議である。しかし需要が拡大すれば値段が上がるのであり、それがリアルだろうとヴァーチャルだろうと関係ないらしい。考えてみれば宝石やブランド品はなぜ高額かといっても特に使用価値が優れているとは限らない、記号的価値が中心なので、でもそこに需要があるから売れるのだとしか言いようがない。

坂本龍一が『戦場のメリークリスマス』のテーマ曲を弾いたピアノの一音一音が販売されたが、それが売れるなら不動産も売れるのは当然だろう。椎名林檎のライブの歌声の一音一音を分割して販売することもできる。村上春樹の生原稿をデジタル化して「村」という字だけ売ることもできよう。ビデオゲームの中でキャラクターが着る服があくまでヴァーチャル上で売られて巨大な市場になっているというから、実に不思議である。

メタバース上の300階建てのビルからメタバース上の世界を見渡す。メタバース上の世界遺産的な絶景を見る。月旅行も火星旅行も可能。太陽にも突っ込める。銀河系の外まで行ける。映画『ミクロの決死圏』のように人体の中を旅する。なにしろヴァーチャルなので何でも可能である。そういうことにお金を払う人が増えてもおかしくない。

このようにメタバースから生まれる消費・生活が第五の消費社会なのかもしれないとも思う。そのほかにどんな第五の消費があるのか、まだ私にはわからない。第四の消費は今後も少しずつ拡大し、より生活にしっかり根ざしたものとして定着すると思うが、メタバース的な消費も増えることは間違いない。いや、もしかして、メタバースへの反動としてむしろ今までよりもはっきりと第四の消費が強まるのかもしれない。

また、メタバース上の消費というのは、これまでの消費をコピーした以上の何かなのかというと私はまだ疑問である。消費の質的変化をもたらすと言えるのか、ソフト開発企業の成長以外の国全体の経済成長に貢献することができるのか、社会に貢献するのかなどは私にはまだわからない。

そしてもちろんリアルとアナログが好きな私としては、「個人化」した不安な時代だからこそリアルなシェアとケアが重要であると主張しつづけるが、だがメタバース上でシェアとケアがある程度できる可能性もあるということだし、そのほうが好きだとか、むしろ孤独も感じないですむという人も増えるだろうということは、はっきり認める。

ただし人間に対するケアの程度が高まるほど、メタバース上ではケアは実現できなくなるだろうとは思う。１００年後は知らないが、当分はそうだ。岡嶋氏の著書でも、排泄の話が何回か出てくる。性欲の充足はメタバースでもできるし、睡眠の促進もできるだろう。だが、排泄はできないのだ。

もちろん食事もメタバースでは選ぶことはできるが、食べることはできない。入るところと出るところがダメなのだ。だが、メタバースの中に没入しながら、楽しく食べるのをあきらめて、病人のように点滴で栄養補給し、排泄も体内から管で出しても快適に生きられるようになるのかもしれない。そして死ぬ間際にもメタバース内で知り合ったアバターたちに看取られながら死ぬのかもしれない。まあ、ファストフードとカップ麺を食べながらゲームをしている人などは、私から見れば半分メタバースの世界の住人に見えるが。

もちろん出産はできないし、おそらくメタバースにはまる人たちは結婚や子育てには興味がなさそうだが、しかしメタバースの中でヴァーチャルな子どもを作り、その子どもに食べさせ、服を着せ、成長させ、学校に入れ、会社に入れ、入学式や入社式についていくのかもしれない。究極のたまごっちみたいなものである。いやはや不思議な時代である。

日本よりもゲームおたくが先に増えたとも言われる韓国は2021年の合計特殊出生率がついに0・81となった。メタバース産業が栄えると日本も出生率の低下は避けがたいと私は思うが、産業を推進する人たちはどう考えているのか。もはや実はだれも出生率を増やそうとは本当は思っていないのであろう。それともメタバースの中のアバターたちが働いて稼いで年金を払ってくれるのか?

メタバースで「なりたい自分」になれる?

バーチャル美少女ねむによれば「メタバースではアイデンティティを自在にデザインして「なりたい自分」で生きていくことができるようになりつつある」という。「人間はもともと持っている多様な側面を光男メル、という次元を完全に超えて」おり、「私たちの心の中の多様な側面「分人」を積極的に探し出して、姿かたちをかえて、自由に活動させることができるとようになったのです。「なりたい自分」として人生が送れるということです。」（『メタバース進化論』）

本当だろうか。私は生まれ変わるならクリント・イーストウッドになって、かっこいい主人公を演じ、自分で監督もしてみたいが、メタバース内でクリント・イーストウッドのようになれるのだろうか。とてもそれは信じられないが。リアルでは気の弱い人がメタバースでは気の強い人になれるのはわかるような気がする。だがリアルには頭の悪い人もメタバースでは頭が良くなるということもあるのだろうか。自分の中の女性的な部分を取り出して増幅して三浦展子として生きるのならわかるが、それは私が「なりたい自分」ではない。あくまで自分の中に他の自分の要素がないといけないとしたら、私は絶対クリント・イーストウッドにはなれないだろう。マグナムをぶっ放す快感に似たものは味わえるのだろうけど、身長１９０センチのあのかっこいい体にメタバース内でなれても意味が無いではないか。いや50年後にはなれるのか。

いずれにしても興味深いのは、「なりたい自分になる」という第三の消費社会後期以来の消費者の欲求がメタバースによってある程度実現できるらしいという点である。

そんな生き方、死に方、社会はいやだという人は、やはり第四の消費的なリアルなつながりを求めながら生きるだろう。リアルな、シェア的なつながりと、メタバースなつながりをいいとこどりしながら生きるという選択が最もありえそうな未来かもしれないが、どうだろう。本当に孤独に陥ってメタバースに逃げ込まなくてはならなくなる前に、シェア的なライフスタイルの中に自分を自然に位置づけられるような社会・コミュニティの仕組みが必要であろうと私は思う。もちろん、人との付き合いが本当に苦手で、メタバースのほうが快適だという人を無理矢理コミュニティの中に引き入れる必要はないけれど。

環境問題の危機を解決する唯一の方法は、人々が共に働き、お互いをケアしあえば、もっと幸せになれるという認識を共有（シェア）することである。

イヴァン・イリイチ『コンヴィヴィアリティのための道具』

第4章

コロナ後の第四の消費・社会を担うのは女性と若者である

2020年初頭から感染拡大が始まったコロナウィルスは、新しい生活様式をわれわれに要求したと言われる。特にリモートワークの実施による地域社会への関心や愛着などが、主として女性を中心に広がったようである。

つまり、人とのつながり、相互の助けあいなどの価値を共有する第四の消費は、コロナ禍によって拡大の方向に向かったと言えそうだ。以下、オリジナルなアンケート調査(注)にも基づきながら考える。

注　カルチャースタディーズ研究所では、三菱総合研究所が毎年行っている3万人調査への追加調査として「コロナ後の意識と行動の変化」調査を行った。
調査名：コロナ後の意識と行動の変化調査
調査主体：カルチャースタディーズ研究所コンソーシアム
調査目的：生活者のコロナ後の意識と行動の変化の実態を知る
調査パネル：生活者市場予測システム(m・i・f)ベーシック及びティーンズ調査より抽出
調査対象：1都3県在住、18〜54歳　一般男女
調査方法：WEB調査
サンプル数：2000人
実施期間：2022年1月13日〜2022年1月17日

4−1 価値観の変化

コロナ後の人々は、女性を中心に第四の消費的心理に変わった

この調査はごく単純に「コロナ感染症が広まって以来、現段階までで、あなたの気持ちや行動に変化はあったでしょうか。以下の中で、あてはまるものをいくつでもチェックしてください」という質問を複数回答で聞いたものである。選択肢は110個である。

まず単純集計の結果。回答が多かった順では

・無駄な物を買わないようにしたいという気持ちが増した　20・7%
・のんびりマイペースで生きることが大事だという気持ちが増した　20・5%
・お金をあまり使わない暮らしをしたいという気持ちが増した　18・6%
・スーパーでの買い物や買いだめが増えた　18・6%
・自分の好きなことをたくさんして人生を楽しむことが大事だという気持ちが増した

18・4％

・毎日通勤するのは嫌だという気持ちが増した　18・1％

となる。無駄な物を買わないとか、お金をあまり使わないという変化があるのが明らかだ。特に女性でそうした変化が大きく大体男性の2倍ある。男性が女性より多いのは「職場でのコミュニケーションがとりづらくなった」「職場での人間関係が稀薄になった」「会社の同僚が大事だという気持ちが増した」くらいであり、あくまで仕事への影響である。言いかえれば、仕事と生活のバランスをとりつつ生きているのは女性であって、男性ではないということだ。

そうした女性を中心にのんびりマイペースで生きるとか、自分の好きなことをたくさんして人生を楽しむといった第四の消費的価値観への変化があるのが面白い。コロナ騒動がのんびりとは対極のものであり、自分の好きなことができない状況だったためであろうか、かえってのんびり生きることや好きなことをすることの価値を認識させたようである。また、毎日通勤するのは嫌だという気持ちが増したという回答も多かった。

参考までに言うと、関西の社会学者が行った「新型コロナウイルス流行と暮らしに関する調査」（2021年、注）においても「新型コロナウイルス流行以前よりも、お金をあま

コロナの影響は女性のほうがずっと大きい

図表4-1-1　コロナ後の意識と行動の変化
（男女別。女性で多い順。上位のみ）

	男女計	男性	女性
人数	2000	1000	1000
無駄な物を買わないようにしたいという気持ちが増した	20.7%	14.2%	27.2%
のんびりマイペースで生きることが大事だという気持ちが増した	20.5%	15.6%	25.4%
自分の好きなことをたくさんして人生を楽しむことが大事だという気持ちが増した	18.4%	11.9%	24.8%
お金をあまり使わない暮らしをしたいという気持ちが増した	18.6%	14.7%	22.6%
スーパーでの買い物や買いだめが増えた	18.6%	15.2%	22.0%
毎日通勤するのは嫌だという気持ちが増した	18.1%	15.4%	20.7%
人と会うことは楽しいことだという気持ちが増した	15.3%	10.6%	19.9%
断捨離をすることが増えた	13.2%	7.1%	19.2%
テレビゲームをしたり映画・アニメを見たりマンガを読む時間が増えた	17.3%	15.7%	18.8%
家族関係・夫婦関係が大事だという気持ちが増した	14.1%	9.5%	18.7%
料理をする時間や料理の種類が増えた	13.4%	8.5%	18.2%
仕事と生活のバランスをうまく取りたいという気持ちが増した	14.8%	12.8%	16.9%
ウォーキングをすることが増えた	14.8%	14.4%	15.1%
ひとりになりたいと思う気持ちが増した	11.3%	7.8%	14.8%
自分の将来やキャリアについて考えるようになった	11.6%	9.4%	13.8%
地震・台風・事故などへの災害・災難への対応を日頃からしっかりしておきたいという気持ちが増した	10.3%	6.8%	13.7%
ひとりひとりが自分の責任で生活や経済の安定を目指すことが大事だという気持ちが増した	10.5%	8.2%	12.8%
困難な時には、政府や行政による援助がもっと増えるべきだという気持ちが増した	10.3%	8.2%	12.5%
生活を合理的・効率的にしたいという気持ちが増した	10.9%	9.6%	12.3%
自分は寂しい、孤独だという気持ちが増した	9.1%	6.1%	12.1%
自分の住む地域で、行く店が限られるようになった	9.2%	6.6%	11.8%
もっと給料の高い仕事に就きたいと思うようになった	9.3%	7.9%	10.7%
カジュアルなウエア・靴の購入が増えた	7.3%	4.0%	10.7%
今より1部屋以上多い家に住みたい気持ちが増した	8.1%	5.5%	10.6%
読書をする時間が増えた（マンガを除く）	8.5%	6.4%	10.6%
仕事での不安やストレスを感じるようになった	10.4%	10.3%	10.5%

資料：カルチャースタディーズ研究所コンソーシアム「コロナ後の意識と行動の変化調査」2022

り使わない暮らしをしようとしている」人は56％おり、またコロナ禍以降の将来の社会像について「経済的状況が悪くても、お金を使わずに楽しく暮らせる社会になってほしい」という考え方への支持率が90％あったという。コロナ禍以降の暮らしはおそらく「ダウンシフト」するのであり、その過程でシェア的なものも増えていくと推測される。

注　鳥越皓之・足立重和・谷村要『コロナ時代の仕事・家族・コミュニティ』（ミネルヴァ書房、2022）所収

人間関係の大切さを実感

次に多い回答は

・テレビゲームをしたり映画・アニメを見たりマンガを読む時間が増えた　17・3％
・人と会うことは楽しいことだという気持ちが増した　15・3％
・仕事と生活のバランスをうまく取りたいという気持ちが増した　14・8％
・ウォーキングをすることが増えた　14・8％
・家族関係・夫婦関係が大事だという気持ちが増した　14・1％

・料理をする時間や料理の種類が増えた　13・4％

・断捨離をすることが増えた　13・2％

であり、家や地域での娯楽と食事が増え、仕事と生活のバランスや家族関係・人間関係を重視する人が増えたことがわかる。また「人と会うことの楽しさ」を感じる人も増えており、全体として人間関係、人と人のつながりの大切さを実感したことになる。

4-2　年齢・就業形態による差

しかし若者はのんびりどころではない

ただし、第四の消費的な回答は年齢が高いほうで多く、特に女性で多く、若者では男女とも少ない。具体的には「無駄な物を買わないように」は45〜54歳女性で多く35％。「のんびりマイペースで生きる」は35〜44歳女性、45〜54歳女性で多く、いずれも29％台。「お金をあまり使わない暮らし」も45〜54歳女性で多く27％という結果である。

第四の消費的な変化が強いのは35歳以上

図表4-2-1　コロナ後の意識と行動の変化　女性年齢別
（45～54歳で多い順。上位のみ）

	18～34歳	35～44歳	45～54歳
人数	436	272	292
無駄な物を買わないようにしたいという気持ちが増した	20.9%	29.0%	34.9%
のんびりマイペースで生きることが大事だという気持ちが増した	20.0%	29.4%	29.8%
お金をあまり使わない暮らしをしたいという気持ちが増した	20.0%	21.7%	27.4%
自分の好きなことをたくさんして人生を楽しむことが大事だという気持ちが増した	22.2%	26.8%	26.7%
スーパーでの買い物や買いだめが増えた	16.5%	26.1%	26.4%
料理をする時間や料理の種類が増えた	14.9%	18.8%	22.6%
断捨離をすることが増えた	13.5%	25.4%	21.9%
家族関係・夫婦関係が大事だという気持ちが増した	17.2%	18.4%	21.2%
人と会うことは楽しいことだという気持ちが増した	19.5%	20.2%	20.2%
地震・台風・事故などへの災害・災難への対応を日頃からしっかりしておきたいという気持ちが増した	7.6%	19.1%	17.8%
ウォーキングをすることが増えた	11.5%	18.8%	17.1%
毎日通勤するのは嫌だという気持ちが増した	23.2%	21.7%	16.1%
テレビゲームをしたり映画・アニメを見たりマンガを読む時間が増えた	19.3%	21.0%	16.1%
自分の住む地域で、行く店が限られるようになった	6.9%	15.4%	15.8%
読書をする時間が増えた（マンガを除く）	7.3%	10.3%	15.8%
困難な時には、政府や行政による援助がもっと増えるべきだという気持ちが増した	9.6%	14.3%	15.1%
ひとりになりたいと思う気持ちが増した	14.0%	16.5%	14.4%
ひとりひとりが自分の責任で生活や経済の安定を目指すことが大事だという気持ちが増した	11.0%	14.0%	14.4%
仕事と生活のバランスをうまく取りたいという気持ちが増した	20.4%	15.1%	13.4%
生活を合理的・効率的にしたいという気持ちが増した	9.9%	15.1%	13.4%
カジュアルなウエア・靴の購入が増えた	7.8%	12.9%	13.0%
自分の将来やキャリアについて考えるようになった	15.8%	11.8%	12.7%

資料：カルチャースタディーズ研究所コンソーシアム「コロナ後の意識と行動の変化調査」2022

35歳以上の年齢層はすでに多くの物を所有している、一定の経済的ゆとり・基盤も築いた人が多いために、無駄な物を買わずにのんびり、お金をあまり使わずに、と言えるのだが、若者はまだ物を買ってないぞ、ということであろう。

では18〜34歳女性で多いのは何かというと、「毎日通勤するのは嫌だ」（23・2％）、「仕事と生活のバランス」（20・4％）、「自分の将来やキャリアについて考えるようになった」（15・8％）といった仕事に関することである。35歳以上では既婚者が多く、正規雇用が少ないために仕事に関する回答が少ないのであろうが、やはり、若い女性が仕事を失ったり、給料が減ったりしているコロナ禍の厳しい現状が浮かび上がっていると言える。若い女性は無駄な物どころか必要な物も買えないかもしれないし、のんびりマイペースで生きるどころではないのかもしれない。

若い女性の仕事や夢へのマイナスの影響が大きい

女性の就業先は飲食、小売、ホテル、美容、福祉など対人的なサービス業が多い。そのためコロナ禍の影響がてきめんに現れたのである。「自分の夢や目標が実現から遠のいた」は、18〜24歳の女性で9・3％（在学中では14・6％）いるという数字はとても重いと言わねばならない。

ちなみに「手取りの給料が下がった」人の割合を職業別に見ると、女性はサービス業で給料が減った人が最も多く23・5%であり、女性全体の12・5%の2倍近く。男性は生産工程の仕事の人で給料が減った人が最も多く16・7%であり、男性全体の12・1%より5割ほど多い。

それと関連して精神的なストレスも増したのであろう、18〜34歳女性では「静かな環境に住みたい気持ちが増した」「自分は寂しい、孤独だという気持ちが増した」「ひとりになりたいと思う気持ちが増した」「23区内より郊外がいいなという気持ちが増した」「ひとりになれる静かな喫茶店・カフェ・ブックカフェが家の近所に欲しいと思うようになった」「ペットが飼える家に住みたい気持ちが増した」「市民農園・地元の農家の野菜を買える直売所が家の近所に欲しいと思うようになった」という回答も上の世代より多めである。

毎日通勤するのは嫌だという気持ちが増した女性は37%

次に居住地に関する回答を、従来から電車通勤が多かったと思われる正規雇用者（公務員を除く）について男女別に見てみる。

すると最も多いのは「毎日通勤するのは嫌だという気持ちが増した」（24・8％）であり、特に女性では36・9％もある。家の立地としては「23区より郊外がいいなという気持ちが増した」は5・5％だが女性は6・9％。「毎日通勤しないなら、特急が停まるなど便利な駅に高い家賃で『住まなくてもよい』と思うようになった」は女性で4・1％だった。他方「職場の近くの家に住みたいと思うようになった」も女性で6・9％いた。このように女性のほうがコロナを契機として通勤や住まいについての意識や行動が男性より大きく変わっている。

また「惣菜店・デリカフェが家の近所に欲しいと思うようになった」が10％弱。「ベランダ・バルコニー・縁側などがあって新鮮な空気が入ったり、窓からの眺めが良い家に住みたい気持ちが増した」「マッサージ・整体・ヨガ・ピラティスの店・教室が家の近所に欲しいと思うようになった」「品揃えの良い書店が家の近所に欲しいと思うようになった」も約6％である。都心にある機能を家の近くに求めると同時に、郊外的な快適さも求めていることがわかる。このように女性のほうがコロナを契機として通勤や住まいについての意識や行動が男性より大きく変わっている。

コロナは働き方を改革した

図表4-2-2　コロナ後の意識と行動の変化
（正規雇用の男女別。女性で5%以上で多い順）

	正規雇用 男女計	正規雇用 男性	正規雇用 女性
毎日通勤するのは嫌だという気持ちが増した	24.8%	19.0%	36.9%
ひとりになれる静かな喫茶店・カフェ・ブックカフェが家の近所に欲しいと思うようになった	6.9%	3.9%	13.1%
今より1部屋以上多い家に住みたい気持ちが増した	8.0%	6.5%	11.0%
かかりつけ医が家の近所に欲しいと思うようになった	5.2%	2.9%	10.0%
惣菜店・デリカフェが家の近所に欲しいと思うようになった	5.1%	2.9%	9.7%
静かな環境に住みたい気持ちが増した	8.1%	7.9%	8.6%
ユニクロ・無印良品が家の近所に欲しいと思うようになった	6.0%	4.7%	8.6%
ベランダ・バルコニー・縁側などがあって新鮮な空気が入ったり、窓からの眺めが良い家に住みたい気持ちが増した	4.7%	3.1%	7.9%
マッサージ・整体・ヨガ・ピラティスの店・教室が家の近所に欲しいと思うようになった	4.0%	2.5%	7.2%
23区内より郊外がいいなという気持ちが増した	5.5%	4.9%	6.9%
職場の近くの家に住みたいと思うようになった	3.8%	2.3%	6.9%
床面積が広い家に住みたい気持ちが増した	5.4%	4.9%	6.6%
仕事専用の部屋のある家に住みたい気持ちが増した	5.2%	4.7%	6.2%
品揃えの良い書店が家の近所に欲しいと思うようになった	3.8%	2.8%	5.9%
気軽に健康や体調の悩みを相談できる場所が欲しいと思うようになった	4.3%	3.6%	5.9%
家の近所に夜になってから楽しめる場所、店が欲しいと思うようになった	3.6%	2.6%	5.5%
ペットが飼える家に住みたい気持ちが増した	3.4%	2.6%	5.2%
駅の近くの家に住みたい気持ちが増した	3.0%	2.0%	5.2%

資料：カルチャースタディーズ研究所コンソーシアム「コロナ後の意識と行動の変化調査」2022

女性の都心志向はむしろ強まったか

郊外志向が多少出てきたとはいえ実際にコロナを契機に引っ越した人はとても少ない。「コロナを理由に23区内都心部から23区内周辺部（大田区・世田谷区・杉並区・練馬区・板橋区・北区・足立区・葛飾区・江戸川区）へ引っ越した」人は０・８％。「コロナを理由に23区内から23区外へ引っ越した」人は０・７％に過ぎない。

コロナ感染拡大後の２０２０年７月以降12月までの６ヶ月間に23区から東京都以外に転出した人は年間２万２５５９人であり、23区の人口の０・２％強である。これが２０２１年12月まで18カ月続いたとすれば０・７％ほどになるので、回答結果と実態はほぼ一致している。

また男女別では23区内都心から周辺部へ引っ越した人は男性だけである。この理由ははっきりわからないが、正規雇用の女性は単身者が多く、都心志向が強いのだと思われる。コロナは脱都心志向を強めたと言うが、女性についてはそうではないかもしれない。

正規雇用女性の住んでいる地域への愛着、地域での助け合いへの関心が高まる

また女性について、コロナ後にどういう家に住みたい気持ちが増したか、家の近所にどういうものが欲しいという気持ちが増したかを多い順に見ると、「今より1部屋以上多い家」「ひとりになれる静かな喫茶店・カフェ・ブックカフェ」「静かな環境」が10％前後で多い。静かでゆとりのある環境を求めていることがわかる。

次いで「かかりつけ医」「惣菜店・デリカフェ」「ユニクロ・無印良品」「ベランダ・バルコニー・縁側などがあって新鮮な空気が入ったり、窓からの眺めが良い家」「床面積が広い家」「気軽に健康や体調の悩みを相談できる場所」「品揃えの良い書店」「マッサージ・整体・ヨガ・ピラティスの店・教室」「銭湯やスーパー銭湯」「庭の広い家」「ペットが飼える家」「気分転換ができたり、子どもがのびのび遊べる公園」など、「健康で文化的な」暮らしを求める意識が高まったと言える。

次に、地域に対する意識と行動の変化についての選択肢について25〜54歳の女性を正規雇用・非正規雇用・専業主婦の3属性で比較してみる。3属性合計で9％以上回答があったのは以下である（図表4－2－3）。

コロナは正規雇用女性を地域に目覚めさせた

図表4-2-3　コロナ後の意識と行動の変化（地域に関する項目）
25～54歳女性・就業形態別（3%以上）

	25～54歳女性	正規雇用（公務員含む）	非正規雇用（パート・派遣・嘱託）	専業主婦
人数	871	282	226	228
自分の住む地域で、行く店が限られるようになった	12.6%	11.0%	11.1%	14.9%
かかりつけ医が家の近所に欲しいと思うようになった	10.3%	10.3%	6.2%	11.4%
静かな環境に住みたい気持ちが増した	9.8%	8.9%	5.8%	11.0%
惣菜店・デリカフェが家の近所に欲しいと思うようになった	9.8%	9.9%	10.6%	10.1%
ひとりになれる静かな喫茶店・カフェ・ブックカフェが家の近所に欲しいと思うようになった	9.6%	**11.7%**	9.7%	7.9%
ユニクロ・無印が家の近所に欲しいと思うようになった	9.0%	9.6%	11.1%	7.9%
住んでいる地域に知人・友人をつくったり、お互いに助け合ったり、地域を良くしたりすることが大事だという気持ちが増した	6.3%	6.0%	4.9%	6.6%
品揃えの良い書店が家の近所に欲しいと思うようになった	6.1%	5.7%	7.1%	5.7%
気軽に健康や体調の悩みを相談できる場所が欲しいと思うようになった	5.5%	5.3%	4.4%	4.8%
銭湯やスーパー銭湯が家の近所に欲しいと思うようになった	4.8%	5.0%	**6.6%**	2.6%
駅の近くの家に住みたい気持ちが増した	4.5%	4.6%	3.1%	4.8%
自分の住んでいる地域への関心や愛着が増えた	4.4%	**7.1%**	3.5%	3.1%
気分転換ができたり、子どもがのびのび遊べる公園の近くの家に住みたい気持ちが増した	4.2%	3.9%	2.2%	**7.0%**
大型商業施設の近くの家に住みたい気持ちが増した	4.1%	4.3%	4.0%	4.4%
家の近所で、マルシェのような個性のあるイベントが欲しいと思うようになった	3.9%	**5.0%**	3.1%	2.6%
家の近所に夜になってから楽しめる場所、店が欲しいと思うようになった	3.8%	5.3%	1.8%	3.5%
自分の住んでいる地域やマンションの問題に気づくようになった	3.7%	**5.3%**	2.2%	2.2%
自分の住む地域で、コロナ以前はあまり行かなかった場所や店に行くようになった	3.4%	3.9%	3.1%	3.9%
毎日通勤しないなら、特急が停まるなど便利な駅に高い家賃で「住まなくてもよい」と思うようになった	3.3%	3.9%	3.5%	3.1%
市民農園・地元の農家の野菜を買える直売所が家の近所に欲しいと思うようになった	3.0%	3.5%	2.7%	3.1%

資料：カルチャースタディーズ研究所コンソーシアム「コロナ後の意識と行動の変化調査」2022

・自分の住む地域で、行く店が限られるようになった　12・6％
・かかりつけ医が家の近所に欲しいと思うようになった　10・3％
・静かな環境に住みたい気持ちが増した　9・8％
・惣菜店・デリカフェが家の近所に欲しいと思うようになった　9・8％
・ひとりになれる静かな喫茶店・カフェ・ブックカフェが家の近所に欲しいと思うようになった　9・6％
・ユニクロ・無印良品が家の近所に欲しいと思うようになった　9・0％

また「住んでいる地域に知人・友人をつくったり、お互いに助け合ったり、地域を良くしたりすることが大事だという気持ちが増した」人は、全体では6・3％おり、特に45〜54歳正規雇用の女性では17・5％もいた。

似たような回答として「自分の住んでいる地域への関心や愛着が増えた」という回答は全体では4・4％だが45〜54歳正規雇用の女性では7・1％だった。

また「自分の住んでいる地域やマンションの問題に気づくようになった」は全体では3・7％だが45〜54歳正規雇用の女性では5・3％だった。

さらに子どもの有無別に見ると、「自分の住んでいる地域への関心や愛着が増えた」については正規雇用女性の中でも子どものいる女性でより強く、14・0％である。子どものいる正規雇用女性はもともと学校、保育園など子どもの関係で地域への関心や愛着を持っていただろうが、それがコロナによりさらに強まったのであろう。

逆に「住んでいる地域に知人・友人をつくったり、お互いに助け合ったり、地域を良くしたりすることが大事だという気持ちが増した」は子どものいない45〜54歳正規雇用女性で多く20・9％である。「自分の住んでいる地域やマンションの問題に気づくようになった」も子どものいない正規雇用女性のほうが多い。子どもがいない女性はママ友などの地域の知人・友人がいなかったので、コロナのような危機的状況になって地域の知人・友人の大事さに気づいたということであろう。

大宮が住みたい街3位になる理由

正規雇用は駅近くのマンションに住んでいる人が多いと思われ、そのためだろうが「静かな喫茶店・カフェ・ブックカフェ」については正規雇用でやや多い。駅近のマンションでリモートワークをしたあとに、駅前のチェーンのカフェではなく、駅から少し離れた公園に面したカフェなどでストレスを解消できるといいということではないか。

大宮駅前の猥雑さに対して氷川神社参道は静かでカフェも増えた
（写真：Takahito Ito）

たとえば「住みたい街」としてずっと人気のある吉祥寺には井の頭公園があることが非常に大きな強みである。公園周辺や公園の中にはチェーンの飲食店もチェーンでない飲食店も多い。井の頭池の畔には古くからの茶店（ちゃみせ）もあり、その茶店がリノベーションしたカフェもある。緑の木陰の中でリフレッシュができるのだ。

最近リクルートの調査の住みたい街ランキングで横浜、吉祥寺に次いで3位となった大宮も、駅界隈は巨大なマンションと歓楽街のあるにぎやかな街であるが、チェーン店だけでなく、昭和な喫茶店や定食屋なども多いし、緑の多い氷川神社参道やその近くには個人店的なカフェなども多い。参道の東側は良好な住宅地である。こういう街はコロナ後にさらに人気が出るだろう。

地域でのストレス解消や共助・利他的活動

次に回答率が3〜6％台になると、「住んでいる地域に知人・友人をつくったり、お互いに助け合ったり、地域を良くしたりすることが大事」とか「自分の住んでいる地域への関心や愛着が増えた」「自分の住んでいる地域やマンションの問題に気づくようになった」「自分の住む地域で、コロナ以前はあまり行かなかった場所や店に行くようになった」という地域志向の回答があがってくる。

また「気軽に健康や体調の悩みを相談できる場所」「銭湯やスーパー銭湯」「気分転換ができたり、子どもがのびのび遊べる公園」「市民農園・地元の農家の野菜を買える直売所」は、ストレスの解消、心身の解放といったニーズである。「品揃えの良い書店」というのも、一種の精神的なストレス解消や刺激を欲している回答だと言える。

最後に、（表にはないが）3％未満では「地域で困っている人や苦しんでいる人を支える活動に参加したり、寄付をしたい」「コミュニティカフェや子ども食堂など、地域の人・子どもなどが一緒に食事をしたり交流したりできる場所が家の近所に欲しい」という地域での利他的活動への関心も少しは高まったようである。

長引くコロナによって郊外住宅地でリモートワークをする人が増えると、郊外には郊外らしい豊かな自然や農村的風景などを軸とした健康的な暮らしができることが今後さらに求められそうだ。また郊外住民同士がコミュニケーションを活発にしていき、そこから共助的な活動も増えていくことも予想される。

4−3 郊外志向

コロナで郊外志向が強まった人は23区北部と中央線に多い

「コロナ後の意識と行動の変化調査」では110の選択肢の中に「コロナを理由に23区内から23区外へ引っ越した」「コロナを理由に23区内都心部から23区内周辺部（大田区・世田谷区・杉並区・練馬区・板橋区・北区・足立区・葛飾区・江戸川区）へ引っ越した」「23区内より郊外がいいなという気持ちが増した」という選択肢を入れてある。

図表4-3-1 「23区内より郊外がいいなという気持ちが増した」人の居住地別割合

	合計	はい	いいえ
合計	2000	118	1882
都心・副都心	6.8%	4.2%	7.0%
23区南西部	10.0%	10.2%	10.0%
23区東部	6.3%	7.6%	6.3%
23区北部	7.2%	12.7%	6.9%
三多摩	11.7%	16.1%	11.4%
三多摩のうち中央線沿線	6.5%	7.4%	0.0%
三多摩のうち西武線沿線	6.5%	5.7%	11.2%
横浜市北部	6.0%	6.8%	6.0%
横浜市南部	4.3%	3.4%	4.4%
川崎市	4.2%	1.7%	4.3%
その他神奈川県	10.7%	5.9%	10.9%
さいたま市	4.0%	6.8%	3.8%
その他の埼玉県市部	12.7%	8.5%	12.9%
埼玉県郡部	0.7%	2.5%	0.6%
千葉市	1.8%	1.7%	1.8%
千葉県西部市部	9.2%	9.3%	9.1%
千葉県東部市部	3.5%	2.5%	3.6%
千葉県郡部	0.1%	0.0%	0.2%

資料:カルチャースタディーズ研究所コンソーシアム「コロナ後の意識と行動の変化調査」2022

この3選択肢のいずれかにイエスと回答した人を「郊外志向のある人」と定義すると、136人いて、男女がちょうど68人ずつだった。そこでこの「郊外志向のある人」が全体と比べてどんな意識と行動の変化を見せたかを分析してみよう。

居住地別に「23区内より郊外がいいなという気持ちが増した」に「はい」と回答した人を見ると、23区北部（荒川区、足立区、北区、板橋区、練馬区）の割合が多い。つまりもし郊外に引っ越すとすれば埼玉県南部への引っ越しを考えそうな人たちである。先述したように近年大宮、浦和、川口など埼玉県南部の住みたい街としての人気が上昇しているが、そのことを傍証する結果である。この調査でもさいたま市の居住者は「はい」の割合が高い。

また三多摩の人は既に郊外の住人なので、三多摩への満足度が高まったと考えられる。沿線別では中央線沿線の住民の割合がやや高く、「いいえ」という回答は中央線ではゼロである。しかし西武線沿線では「はい」の割合が低く「いいえ」の割合が高い。同じ三多摩でも中央線と西武線の格差は大きいのだ。

中央線は商業、文化の集積が多く、駅前・公園・緑地の整備なども進んでおり、コロナ禍においても、自宅周辺で比較的不満なく暮らせるからであろう。また昼間から男性がうろうろしていてもまったく不思議がられない寛容な雰囲気があることも、リモートワーク時代にふさわしい。

それとくらべると横浜市は北部も南部も「はい」は多くない。川崎市やその他の神奈川県は「はい」が少ない。港北区は「はい」がゼロ、「いいえ」が5・6%である。横浜市は住みたい街ランキングでも常に1位か2位だが、コロナ禍で魅力を増すことはなかったようである。

郊外志向のある女性はコロナ後に住環境への意識が大きく変化した

この郊外志向のある人のコロナ後の意識と行動の変化を男女別に見て、男性全体、女性全体とを比べると変化が明らかに大きい。女性では

・自分の好きなことをたくさんして人生を楽しむことが大事だという気持ちが増した　45・6％
・家族関係・夫婦関係が大事だという気持ちが増した　42・6％
・無駄な物を買わないようにしたいという気持ちが増した　42・6％
・のんびりマイペースで生きることが大事だという気持ちが増した　39・7％
・人と会うことは楽しいことだという気持ちが増した　38・2％
・料理をする時間や料理の種類が増えた　38・2％
・お金をあまり使わない暮らしをしたいという気持ちが増した　38・2％

が多い。

男女ともに多いのは「のんびりマイペースで生きることが大事だという気持ちが増した」「お金をあまり使わない暮らしをしたいという気持ちが増した」である。

以上はかなり根本的な意識・価値観の変化であるが、女性の住まいに関わる選択肢では、

・毎日通勤するのは嫌だという気持ちが増した　36・8％
・静かな環境に住みたい気持ちが増した　33・8％
・今より1部屋以上多い家に住みたい気持ちが増した　29・4％
・ひとりになりたいと思う気持ちが増した　26・5％
・ベランダ・バルコニー・縁側などがあって新鮮な空気が入ったり、窓からの眺めが良い家に住みたい気持ちが増した　23・5％
・ひとりになれる静かな喫茶店・カフェ・ブックカフェが家の近所に欲しいと思うようになった　20・6％
・床面積が広い家に住みたい気持ちが増した　19・1％
・毎日通勤しないなら、特急が停まるなど便利な駅に高い家賃で「住まなくてもよい」と思うようになった　17・6％

が女性で多い。快適な住環境、住まい、働き方、生活の仕方を求める意識が、コロナにより特に女性の中で拡大したと言える。

図表4-3-2　郊外志向のある人のコロナ後の意識と行動の変化
（男女別　郊外志向女性で20%以上で多い順）

	男性全体	女性全体	郊外志向男性	郊外志向女性
人数	1000	1000	68	68
自分の好きなことをたくさんして人生を楽しむことが大事だという気持ちが増した	11.9%	24.8%	20.6%	45.6%
家族関係・夫婦関係が大事だという気持ちが増した	9.5%	18.7%	17.6%	42.6%
無駄な物を買わないようにしたいという気持ちが増した	14.2%	27.2%	26.5%	42.6%
のんびりマイペースで生きることが大事だという気持ちが増した	15.6%	25.4%	35.3%	39.7%
料理をする時間や料理の種類が増えた	8.5%	18.2%	20.6%	38.2%
お金をあまり使わない暮らしをしたいという気持ちが増した	14.7%	22.6%	30.9%	38.2%
人と会うことは楽しいことだという気持ちが増した	10.6%	19.9%	13.2%	38.2%
毎日通勤するのは嫌だという気持ちが増した	15.4%	20.7%	26.5%	36.8%
仕事と生活のバランスをうまく取りたいという気持ちが増した	12.8%	16.9%	26.5%	35.3%
静かな環境に住みたい気持ちが増した	7.7%	9.6%	20.6%	33.8%
スーパーでの買い物や買いだめが増えた	15.2%	22.0%	22.1%	32.4%
今より1部屋以上多い家に住みたい気持ちが増した	5.5%	10.6%	7.4%	29.4%
ウォーキングをすることが増えた	14.4%	15.1%	22.1%	29.4%
テレビゲームをしたり映画・アニメを見たりマンガを読む時間が増えた	15.7%	18.8%	19.1%	29.4%
ひとりになりたいと思う気持ちが増した	7.8%	14.8%	14.7%	26.5%
困難な時には、政府や行政による援助がもっと増えるべきだという気持ちが増した	8.2%	12.5%	16.2%	25.0%
地震・台風・事故などへの災害・災難への対応を日頃からしっかりしておきたいという気持ちが増した	6.8%	13.7%	10.3%	25.0%
自分の将来やキャリアについて考えるようになった	9.4%	13.8%	25.0%	23.5%
ベランダ・バルコニー・縁側などがあって新鮮な空気が入ったり、窓からの眺めが良い家に住みたい気持ちが増した	2.2%	7.4%	10.3%	23.5%
断捨離をすることが増えた	7.1%	19.2%	17.6%	23.5%
お金や消費だけでは幸せになれないという気持ちが増した	6.1%	9.4%	14.7%	23.5%
ウーバー・出前などによる食事の宅配が増えた	3.8%	8.9%	5.9%	22.1%
緊急事態では、政府や行政による権限がもっと強くあるべきだという気持ちが増した	8.0%	9.9%	14.7%	22.1%
もっと給料の高い仕事に就きたいと思うようになった	7.9%	10.7%	10.3%	20.6%
ひとりになれる静かな喫茶店・カフェ・ブックカフェが家の近所に欲しいと思うようになった	4.1%	9.8%	11.8%	20.6%

資料：カルチャースタディーズ研究所コンソーシアム「コロナ後の意識と行動の変化調査」2022

4-4 リモートワークをしている人の意識

リモートワークは女性のほうが進んだ

リモートワークの実態だが「職場に行かず自宅などでリモートワークをすることが勤務日のだいたい半分以上あるようになった」という人は全体で7・1％、「職場に行かず自宅などでリモートワークをすることが週1、2回あるようになった」という人は5・1％だった。

またリモートワークが「だいたい半分以上あるようになった」人は、正規雇用者では11・1％、うち女性では13・1％であり、全体よりも多い（図表4-4-1）。さらに自由業男性では17・9％もあり、派遣の女性でも17・5％と多い。全体に女性のほうがリモートワークが進んだのは子育て期の場合、どうしても女性が在宅することが多いからであろう。

図表4-4-1　「職場に行かず自宅などでリモートワークをすることが勤務日のだいたい半分以上あるようになった」という人の割合（就業形態別）

		人数	割合
全　体	合計	2000	7.1%
全　体	男性	1000	7.8%
全　体	女性	1000	6.4%
自由業	合計	53	11.3%
自由業	男性	28	17.9%
自由業	女性	25	4.0%
正規雇用	合計	901	11.1%
正規雇用	男性	611	10.1%
正規雇用	女性	290	13.1%
嘱託・契約	合計	64	7.8%
嘱託・契約	男性	29	3.4%
嘱託・契約	女性	35	11.4%
派遣	合計	51	15.7%
派遣	男性	11	9.1%
派遣	女性	40	17.5%
パート・アルバイト	合計	261	2.3%
パート・アルバイト	男性	64	1.6%
パート・アルバイト	女性	197	2.5%

資料：カルチャースタディーズ研究所コンソーシアム「コロナ後の意識と行動の変化調査」2022

リモートワークを機に単なる利便性より広々した住空間を求めるようになった

「職場に行かず自宅などでリモートワークをすることが勤務日のだいたい半分以上あるようになった」「職場に行かず自宅などでリモートワークをすることが週1、2回あるようになった」という選択肢のいずれかにイエスと答えた人を分母に集計をしてみた。そのうち住環境、住生活関連の選択肢だけを表にした（図表4-4-2）。

リモートワークの実施によって「毎日通勤するのは嫌だという気持ちが増した」が53・9%というのが圧倒的に

図表4-4-2　リモートワークをしている人の住生活関連の意識と行動の変化（男女計で多い順。男女いずれかで8%以上）

	合計	男性	女性
人数	245	136	109
毎日通勤するのは嫌だという気持ちが増した	53.9%	45.6%	64.2%
今より1部屋以上多い家に住みたい気持ちが増した	18.0%	15.4%	21.1%
自分の住む地域で、行く店が限られるようになった	16.7%	16.9%	16.5%
静かな環境に住みたい気持ちが増した	14.3%	16.2%	11.9%
ユニクロ・無印が家の近所に欲しいと思うようになった	13.9%	11.0%	17.4%
ひとりになれる静かな喫茶店・カフェ・ブックカフェが家の近所に欲しいと思うようになった	13.9%	7.4%	22.0%
仕事用テーブル・デスク・イス・棚などを買い換え・買い増しした	13.9%	14.0%	13.8%
惣菜店・デリカフェが家の近所に欲しいと思うようになった	11.0%	8.1%	14.7%
床面積が広い家に住みたい気持ちが増した	10.6%	9.6%	11.9%
ベランダ・バルコニー・縁側などがあって新鮮な空気が入ったり、窓からの眺めが良い家に住みたい気持ちが増した	9.0%	6.6%	11.9%
家の近所にシェアオフィスなど仕事ができる場所が欲しいと思うことが増えた	8.6%	8.1%	9.2%
かかりつけ医が家の近所に欲しいと思うようになった	8.6%	6.6%	11.0%
自分の住んでいる地域への関心や愛着が増えた	8.2%	8.1%	8.3%
自分の住んでいる地域やマンションの問題に気づくようになった	8.2%	8.1%	8.3%
毎日通勤しないなら、特急が停まるなど便利な駅に高い家賃で「住まなくてもよい」と思うようになった	7.8%	8.8%	6.4%
23区内より郊外がいいなという気持ちが増した	7.8%	7.4%	8.3%
銭湯やスーパー銭湯が家の近所に欲しいと思うようになった	7.8%	6.6%	9.2%
庭の広い家に住みたい気持ちが増した	7.3%	8.1%	6.4%
マッサージ・整体・ヨガ・ピラティスの店・教室が家の近所に欲しいと思うようになった	6.9%	3.7%	11.0%
パソコン・パソコン備品関連の店が家の近所に欲しいと思うようになった	6.5%	**10.3%**	1.8%
家の近所で、マルシェのような個性のあるイベントが欲しいと思うようになった	5.7%	2.9%	9.2%

資料：カルチャースタディーズ研究所コンソーシアム「コロナ後の意識と行動の変化調査」2022

多い。次いで「今より1部屋以上多い家に住みたい気持ちが増した」が18%と多かった。

また「静かな環境に住みたい気持ちが増した」「ひとりになれる静かな喫茶店・カフェ・ブックカフェが家の近所に欲しいと思うようになった」という静かな環境を求める人も多い。

さらに「床面積が広い家に住みたい気持ちが増した」「ベランダ・バルコニー・縁側などがあって新鮮な空気が入ったり、窓からの眺めが良い家に住みたい気持ちが増した」「毎日通勤しないなら、特急が停まるなど便利な駅に高い家賃で『住まなくてもよい』と思うようになった」「23区内より郊外がいいなという気持ちが増した」「銭湯やスーパー銭湯が家の近所に欲しいと思うようになった」「庭の広い家に住みたい気持ちが増した」が7〜10%いた。リモートワークを機に、住む街に対して、単に電車の便が良いというだけでなく、広々した開放的な住空間やリラックスできる場所を求めるようになったことがわかる。

また「自分の住んでいる地域への関心や愛着が増えた」「自分の住んでいる地域やマンションの問題に気づくようになった」も8%あり、地域社会への関心も芽生えたようである。

年収の高い男性は、地域に市民農園や夜の娯楽を求める

次に年収によるコロナ後の意識と行動の変化の違いを調べてみた。年収の個人差は女性より男性で多いので、結果は男性のほうが明快であり、また意外な結果も出た。

コロナ後の意識と行動の変化の選択肢別に男性の年収を見ると、最上位の800万円以上の割合が多いのは（仕事の内容それ自体に関する変化の選択肢を除くと）以下の選択肢である。

・市民農園・地元の農家の野菜を買える直売所が家の近所に欲しいと思うようになった
・仕事用テーブル・デスク・イス・棚などを買い換え・買い増しした
・基礎化粧品の購入金額が増えた
・仕事用スーツ・シャツ・ブラウス・靴の購入が減った
・品質・デザイン・エコ・素材などにこだわりを持った「個人店」が家の近所に欲しいと思うようになった
・仕事専用の部屋のある家に住みたい気持ちが増した
・コーヒーメーカー・エスプレッソマシン・ジューサー・ミキサーの買い換え・買い増し

をした

・家族関係・夫婦関係が大事だという気持ちが増した
・商店街の近くの家に住みたい気持ちが増した
・カジュアルなウエア・靴の購入が増えた
・家の近所に夜になってから楽しめる場所、店が欲しいと思うようになった

このように年収の高い男性は、コロナを機に、仕事用の家具を買いましたり、仕事用の部屋が欲しいと思っただけでなく、家の周りに市民農園、農家の直売所、商店街、夜に楽しめる店、気分転換ができる公園などを欲しがるようになったことがわかる。

夜に楽しめる店については、私はこれからの郊外に必要なものは、住民の知識・経験・モノ・空間といった資源を「シェア」すること、「ワーカブル」（住みかつ働きやすいこと）、そして「夜の娯楽」であると近年ずっと主張してきたが、その「夜の娯楽」を求める人がいることを示している。

またカジュアルなウエア・靴だけでなく、基礎化粧品の購入金額が増え、コーヒーメーカー・エスプレッソマシン・ジューサー・ミキサーあるいは掃除機・掃除ロボット・エアコン・空気清浄機の買い換え・買い増しもしている。コロナが新しい消費を生み出した面

図表4-4-3　コロナ後の意識と行動の変化別に見た年収別割合
（男性。800万円以上が多い順）

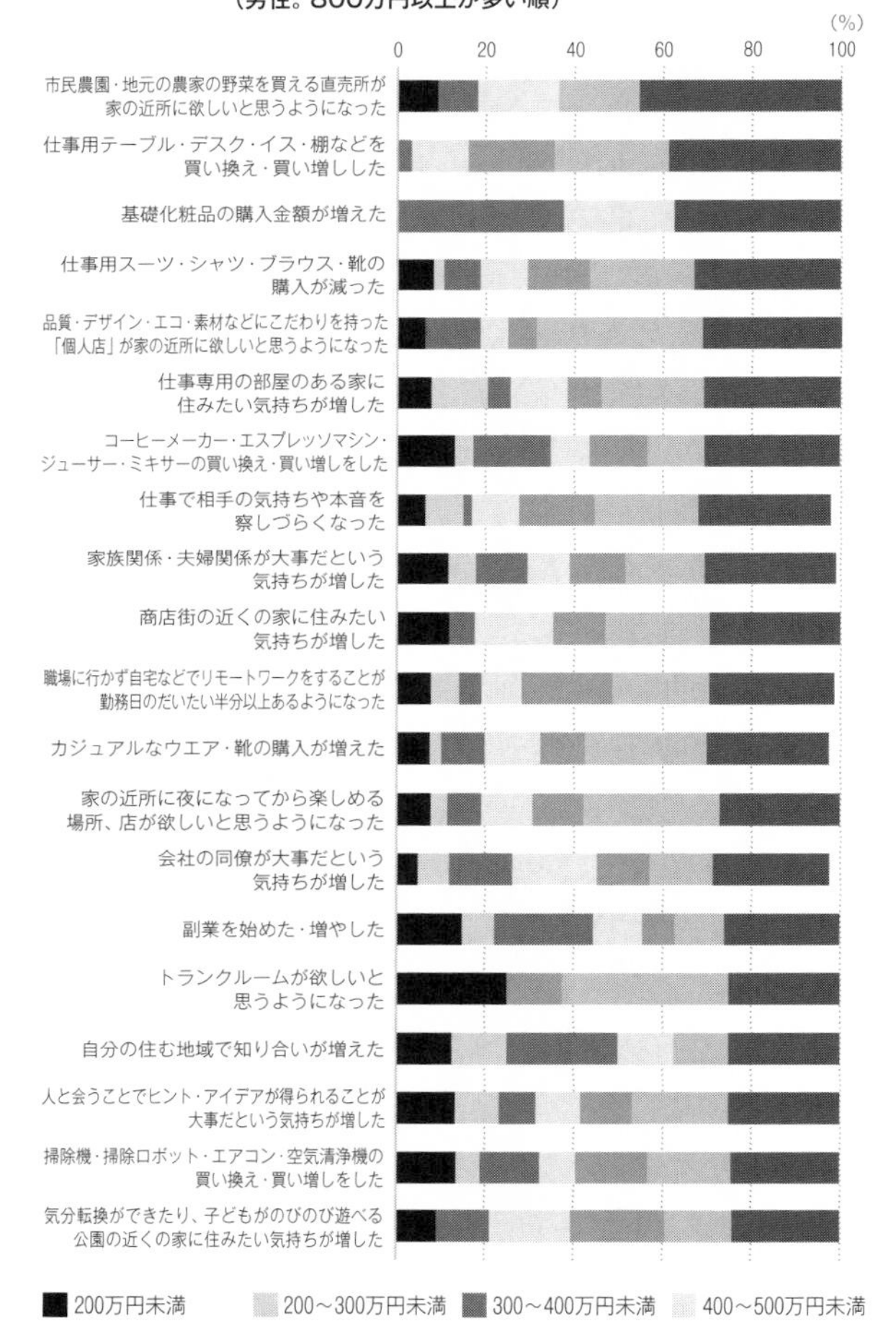

資料：カルチャースタディーズ研究所コンソーシアム「コロナ後の意識と行動の変化調査」2022

もあると言える。

　気分転換にコーヒーやスムージーを飲むことも増えただろうから、コーヒーメーカー・エスプレッソマシン・ジューサー・ミキサーを買うのはわかるし、自宅のほこりが気になって掃除機・掃除ロボット・エアコン・空気清浄機を買うのもわかるが、基礎化粧品が増えたのはなぜだろう。

　おそらくリモート会議をすると、照明の当て方で顔や首などのしわやシミが目立つことに気がついた男性が多かったのではないか。そういえば最近テレビコマーシャルでも男性のシミ取りクリームのコマーシャルが増えた。女性だけでなく、男性についても特に年収の高い層では、コロナにより、家を中心とした生活の新しい豊かさを求める気持ちが増したと言えそうである。

4-5 コロナと孤独と地域

孤独な女性が地域に求めるもの

また前章との関係で「とても孤独を感じる」「孤独を感じる」という人にコロナ後にどのような意識と行動の変化があったのかを、地域や人間関係に関する選択肢について見てみる。

「自分は寂しい、孤独だという気持ちが増した」という回答が最も多い35～44歳女性が、最も少ない18～34歳男性よりも回答が多い順に並べた（図表4－5－1）。男女年齢3段階別に全体に比して有意に多い回答だけを選んである。参考までに45～54歳女性と18～34歳男性の差が大きい選択肢も表に入れた。

結果を見ると、「ひとりになりたいと思う気持ちが増した」女性が多い反面、「人と会うことは楽しいことだという気持ちが増した」女性も多い。この二つは矛盾しないかもしれ

図表4-5-1 「とても孤独を感じる」「孤独を感じる」人のコロナ後の意識と行動の変化（35～44歳女性と18～34歳男性の差が大きい順）

	男性 18～34歳	女性 18～34歳	女性 35～44歳	女性 45～54歳
ひとりになりたいと思う気持ちが増した	11.8%	23.4%	25.9%	15.4%
かかりつけ医が家の近所に欲しいと思うようになった	1.1%	7.8%	13.8%	17.3%
自分の住む地域で、行く店が限られるようになった	9.7%	8.6%	22.4%	25.0%
惣菜店・デリカフェが家の近所に欲しいと思うようになった	3.2%	7.0%	15.5%	19.2%
人と会うことは楽しいことだという気持ちが増した	10.8%	20.3%	22.4%	32.7%
気軽に健康や体調の悩みを相談できる場所が欲しいと思うようになった	1.1%	6.3%	12.1%	15.4%
家族関係・夫婦関係が大事だという気持ちが増した	5.4%	10.2%	13.8%	17.3%
マッサージ・整体・ヨガ・ピラティスの店・教室が家の近所に欲しいと思うようになった	2.2%	6.3%	10.3%	3.8%
転職を考えるようになった	6.5%	12.5%	13.8%	11.5%
仕事がなくなったり、転職をしたりした（パート、アルバイト含む）	3.2%	7.0%	10.3%	15.4%
職場の近くの家に住みたいと思うようになった	2.2%	7.0%	8.6%	1.9%
駅の近くの家に住みたい気持ちが増した	0.0%	7.0%	5.2%	7.7%
住んでいる地域に知人・友人をつくったり、お互いに助け合ったり、地域を良くしたりすることが大事だという気持ちが増した	2.2%	3.1%	6.9%	19.2%
自分の住んでいる地域やマンションの問題に気づくようになった	1.1%	3.9%	5.2%	9.6%
メルカリなどではなく、地域の中でものを貸したり借りたり、もらったり上げたりする場所・機会が欲しいという気持ちが増した	2.2%	3.9%	5.2%	9.6%
市民農園・地元の農家の野菜を買える直売所が家の近所に欲しいと思うようになった	0.0%	4.7%	0.0%	5.8%
商店街の近くの家に住みたい気持ちが増した	2.2%	0.0%	0.0%	7.7%

ないが、ひとりであることを強制されたコロナ禍における不安定な心理を感じさせる（「資料編」・事例1参照）。

そうした精神的不安があるためか、「かかりつけ医が家の近所に欲しいと思うようになった」「気軽に健康や体調の悩みを相談できる場所が欲しいと思うようになった」「マッサージ・整体・ヨガ・ピラティスの店・教室が家の近所に欲しいと思うようになった」女性も多い。

転職市場が豊かなほうが孤独は解消される

「転職を考えるようになった」「仕事がなくなったり、転職をしたりした」は地域や心理に関する選択肢ではないが、実はコロナ後は転職のしやすい地域が求められるという私の予測に基づき、この表に入れてある。孤独を感じる女性に「転職を考えるようになった」「仕事がなくなったり、転職をしたりした」と回答する人が多いのは、職場で孤独だから転職するという単純な話だけではなく、孤独を解消するためにはその女性がより自己実現し、自己を承認されるような仕事に就くことが重要であるということを意味していると思われるからである。

転職がしやすいとは、多様で大量の雇用需要があるということである。平凡な郊外住宅地であれば、スーパーのレジくらいしか仕事がないが、先述した吉祥寺や大宮なら、銀行、証券、不動産業から、塾講師、スポーツのインストラクター、そして百貨店、おしゃれな雑貨屋、おいしいパン屋、素敵な花屋の店員などなど多様で大量の雇用需要がある。こういう地域やその周辺に住めれば、都心に通わなくても自宅の近くに仕事が見つかる。したがって「職場の近くの家に住みたいと思うようになった」「駅の近くの家に住みたい気持ちが増した」についても、同様な視点から解釈することができる。こうした雇用の問題が、実はこれからの居住地選択にとってますます重要になるのである。

こうして自分の住む地域に、ただ住むだけでなく、働く場所もあって、つまり「職住近接」になれば、昼も夜も同じ地域で生きることとなり、そこから地域への愛着やプライドも育っていく。そうすれば「住んでいる地域に知人・友人をつくったり、お互いに助け合ったり、地域を良くしたりすることが大事だという気持ちが増した」「自分の住んでいる地域やマンションの問題に気づくようになった」という回答が増えるのである。

4-6

郊外再生・地方再生には「若者特区」「女性特区」をつくるべし

郊外を見直すチャンス

コロナによるもう一つの大きな変化が都市構造の変化だ。東京都の2022年1月1日時点の推計人口が1398万8129人と、2021年の1年間で4万8592人減った。都の人口が減るのは1996年の推計以来26年ぶりだという。21年は、転出が41万5060人に対し、転入が41万8957人で転入から転出を引いた転入超過人口（社会増）が3897人となり、過去最低だった。とはいえ転入超過なのである。対して死亡者数と出生者数の差である自然減は3万6882人だった。こうしてみると、コロナによる死者の増加が東京都の人口を減らした影響が大きいようであり、転入超過傾向が完全に消えたのではない。もっと細かく見ないとわからないが、子育て期や出産直前の人は転出超過だったかもしれない。

私はかねて郊外から都心への人口集中に疑問を呈し、大地震やパンデミックのリスクを考えると、郊外に人口を戻す必要を説いてきた。30~40代の働き盛りの人ほど都心に住み、最近はその子どもたちも多く住むようになっている。もし大地震やパンデミックにより、こうした若い世代が被害を受けるなら、国家の存続にとっての大損失である。

今回のコロナ騒動のプラスの効果のひとつはリモートワークが促進されたことであるが、郊外に住んで自宅ないしシェアオフィスで働くことが今後急速に広がるだろう。郊外の自治体は、これをチャンスと捉えて、働きやすい郊外とはどういうものか、それは都心とどう違うのか、都心で職住近接するよりも郊外で在宅勤務をしたほうが、通勤電車に乗らないで済む以外にどんなメリットを提供できるのかを考え提案しなければならない。

また、もし女性が結婚したら専業主婦になり、夫だけが都心で働くことがまだ主流の社会であったら、こんなに在宅勤務が広がることはなかっただろう。せいぜい時差通勤くらいで、お父さん、がんばって気をつけて行ってきてね、夜はすぐに帰ってきてね、ということで終わっただろう。

だが現実には、結婚した、子どももいる女性が働くことが増えたために、そして女性も夜の繁華街で飲み歩くことも増えたために、男女問わずリモートワークをするべきだということになった面がある。女性だけ先に家に帰れとは言えないからである。

かくして、都心への過剰な人口集中が反省され、郊外で男女ともに働き、買い物をし、家事をし、子育てをするというライフスタイルが加速化されて、新しい郊外生活が広がるという方向に向かうとよいと思う。

どういう町が求められるか

これまで見たデータからも明らかだが、一度リモートワークを経験した人の多くは、満員電車に揺られて通勤する生活に戻りたいとは思わない。私がサラリーマンをしていたのは20年以上前のことだが、フリーランスになった今は満員電車が本当に嫌いで、出掛けるときは多少回り道をしてでも新宿などの混雑する駅や電車は避けるほどだ。通勤しなくても働けるということが周知された今となっては、リモートワークができるかどうかが会社選びの一つの基準にすらなるだろう。

リモートワークができる会社であれば、家賃の高い都心に住むメリットは小さくなる。自然が多いところで子育てしたいと望んでいた親からすれば、むしろ渡りに船だ。またリモートワークが続くと、これもデータに明らかなように、庭に緑があったり、ちょっと外に出て空気を吸ったり、軽い体操や運動をできたりするような場所が欲しいと思うだろう。緊急事態宣言のときのように公園に行くことすらためらわれる時は特に、家に広々とした庭があることは魅力に感じられるはずだ。また仕事の後の息抜きの場所も求められる。

したがってこれからの働きやすく（ワーカブル）かつ暮らしやすい（リバブル）町の共通点は

・自然：広々した公園など、豊かな緑、水のある風景、風通しのよい場所があること
・娯楽：仕事の後や合間に息抜きできる場所や店があること
・文化：良質な書店、図書館、美術館、ギャラリーなどがあること
・個性：無個性なチェーン店しかない町ではなく、個性的な個人店があり、そこから刺激やアイデアが得られること

ということになろう。

都心の居酒屋などでの三密な飲み会が減る代わりに、郊外で空き店舗などを利用した子ども食堂、夜カフェ、気軽なスナック的なものなどの活動が住民自身から生まれて、ますますみんなに利用されるようになる可能性は高い。

こうしたことはすでに私が「コムビニ」（コミュニティ・コンビニエンス・プレイス）とい

う名前の場所をつくろうと言って、過去に何度も提案してきたことであり（『日本人はこれから何を買うのか？』）、それがコロナを契機として広がるとしたらまったく本意ではなかったが、禍福はあざなえる縄のごとしだから、よいものは増やしていくのがよい。

緊急事態宣言によって、都心部を中心に人間同士の交流の場は縮小させられるが、他方で、郊外などでは、住民同士の助け合いなどが増え、コミュニティの力が増すということも考えられる。

コロナを契機に人々はのんびりと、お金をあまり使わないでも豊かに暮らすことを求め、豊かな自然や、広々とした開放的な空間を求め、近隣社会での人間関係を重視し、お互いに助け合いながら、地域をよくすることに関心を持ち始めている。コロナ後の意識と行動の変化は特に郊外において、第四の消費的行動の拡大を促進する傾向があると言えそうである。

しかしながら本章冒頭にも書いたように、コロナを契機として広がった第四の消費的な生活と価値観の担い手は35歳以上の女性であり、若い女性ではない。若い女性は自分の就きたい仕事に就くことも困難になっており、長年の自分の夢を諦めざるを得ない状況にある人も少なくない。ゆえに彼女たちは、生活や価値観が第四の消費的かどうかなどは問題ではなく、まずお金が稼げる、まともな給料を得て、東京で十分一人暮らしできる、それによって、このままでは「永続しそうな孤独」から脱出することを求めていると言える。これまで仕事一辺倒で地域社会に無関心だった45～54歳の正規雇用女性が、コロナを機に地域社会の大切さに気づいたのとは対照的に、若い女性は子どもがいないこともあり、地域社会に包摂されるチャンスも少ないように見える。まともな仕事にも就けず、地域にも居場所がないとしたら、若い女性の将来は暗いだろう。コロナ禍を若い女性の問題としても捉え直してみる必要がありそうだ。

「若者特区」「女性特区」の必要

私はそうした郊外の都市に招かれてこれからのまちづくりについて話す機会も多かったが、問題はやはり地元の有力者である高齢者の発想が古いことである。たとえば駅前のショッピングセンターが閉店になって不便になったから、また新しくショッピングセンターを誘致しないといけないという意見が出る。だがそもそもショッピングセンターが閉店したのはアマゾンなどの通信販売が急拡大したことが一因であり、今後もその勢いが続くとすれば、同じ売り場面積を持ったショッピングセンターが成り立つとは思えない。

私の直感では今後は既存の売り場面積の半分でも多すぎるくらいであり、残りの売り場はまったく別の使い方を考えないといけない。郊外のショッピングセンターはまさに１９７０年代から90年代初頭にかけて、まさに第三の消費社会において雨後の筍のようにできたものである。だが、これから必要なのは、第四の消費社会的な何かである。それは子ども食堂かもしれないし、高齢者向けの何か、働く女性のための何か、子育て支援のための何か、市民が自己実現できて承認が得られるような活動ができる場所、人同士をつなげるシェア的な活動、あるいは夜の娯楽の場所などなどのはずである。

だが、まちづくり市民会議のようなものに参加するのは時間に余裕のある高齢者、特に男性である。大体8割が男性で、そのうち8割が50代以上である。共働きで子育て中の現役世代は参加しにくい。なのに会議にウェビナーなどのリモートで参加できない。ＹｏｕＴｕｂｅにアップしていつでも見られるようにもなっていない。高齢者は数が多いから行政としては高齢者を無視できない。それはそれで大切である。だが現役世代やその子ども達の視点が軽視されるのはおかしい。

そもそも高齢の男性は、現在の若い女性が非常に高学歴化していることが頭に入っていない。もしかすると自分の娘は早稲田大学卒なのだが、それくらいの女性は今はそこらじゅうにいて、そういう女性が結婚したり、子どもを産んだり、正社員で働いたり、あるいは非正規に甘んじていたり、起業もしたりということが当たり前になっているという一般的な状況が認識できていない。まして離婚が多いとか、シングルマザーだとか、子どもの貧困とか、いろいろな問題を把握しきれていない。

超高齢社会にいち早くなった地方では、とにかく若い人たちに住んでほしいので、若者や女性の意見を聞くようになっていると、ある地方在住の女性に聞いたことがある。それに比べると元気な団塊世代の男性がうろうろしている東京の郊外のほうがむしろ若者や女性の意見を取り入れない傾向が強いかもしれない。

だからこそ私は郊外に「若者特区」「女性特区」のようなものをつくらないといけないと思う。コロナ禍によって仕事や子育てなどでダメージを強く受けた若者と女性たちがまちづくりの主導権を握るべきなのだ。45歳くらいまでが参加し、下は中学生からまちづくりに意見が言えるようにするのがよい。そういう場をつくらないと、どうしても高齢者の意見を聞く会になってしまう。第四の消費的な地域をつくるためにもあえて「若者特区」「女性特区」が必要なのである。

＊本章の４－１から４－４は株式会社ライフルのＨＯＭＥ'Ｓ ＰＲＥＳＳ初出の原稿に大幅に加筆修正したものである。

資料編

第四の消費・事例集

資料編では第四の消費的な活動の事例を紹介する。「消費」といっても、有機農法の食品を食べるとか、自然派の洗剤や化粧品を使うとか、エコカーに乗るとか、和食を好むとか、和食器を集めるといったことは第四の消費としてはごく当然のことなので、そうした個別の消費については取り上げない。

むしろここで紹介する「第四の消費」の事例の中で最も大事なのは、やはり人や地域とのつながりをどうつくっていくかである。人や地域とのつながりを無視して自分だけで和食器を集めていたとしても、それは昔ウェッジウッドやロイヤルコペンハーゲンの器を日本人が買いあさっていたのとあまり変わりがない。

有機食品を食べるだけでも第四の消費的ではない。生産者とのつながりを意識し、しばしば生産の現場を訪れて一緒に農作業をしてみるなどの行動が付随しないと本当の意味で第四の消費的だとは言えないだろう。

そういう意味では、第四の消費の特徴は、職と食である。本編でも書いたように、単なる消費者ではない第四の消費社会の生活者は、生活の中の物をできる限り自分で作る、作らないまでも物の生産に何らかの関与をするという行動を取る。その意味で手仕事、なりわい、小商いといったものを重視する。そして最も人任せにしたくないもの、自分が少しでも関与したいと思うものはやはり体の中に入る食物である。そのため、第四の消費社会的生活者は食を重視し、食にまつわる手仕事、職というものを重視すると言える。

住宅のリノベーションにしても、商品化された住宅を買うだけでは、単なる消費にすぎないが、リノベーションをすることで、住宅を構成する多くの部材に対する知識、木材や土などに関する知識を増やすことになり、人任せの消費ではない生活者として住宅への関与ができるところに魅力がある。

こうした行動をとることで、商品にまつわる部材、農薬、自然などについての知識が増え、専門家としての職人などとの多様な関わりが生まれ、単に商品を売る人と買う人という関係ではない多様な交流、知識の総合が生まれ、ひいては生活自体への多面的な見方が育っていく。そこに第四の消費の意義がある。

近年「懐かしい未来」という言い方がしばしばされる。日本が近代化・工業化の過程で古いものとして捨ててきたものの中に、実はこれからの日本の未来の暮らしに必要な大切なものがあったのではないかという問題意識から言われる言葉である。ここで紹介する事例も、血縁のない人たちが小さな子どもを含めて一緒に暮らすとか、食物などの生産に関与するとか、貨幣経済に完全に絡め取られないようにするとか、長屋的な暮らしをするといったように、過去の日本人の生活の中から自分たちにとって良いものを選び出し、未来の日本人の生活をつくり出す「再・生活化」の流れの中にあると言える。

また、『第四の消費』の刊行以来10年間、いろいろな事例を取材してきたが、その多くが1980年代前後生まれの建築家が関わるものである。近年建築教育は単体の作品をつくるというより、地域に開かれた場所をいかにつくるかにかなり力点が置かれてきたようであり、そうした教育を受けてきた若い建築家達が実際にこの10年ほどのあいだ、古い建築のリノベーション、シェアハウス、地域を再開発ではなく活性化するエリアリノベーションなどを実際に行ってきたからである。

また第四の消費の特徴として地方志向があるが、ここで紹介する事例は東京圏のものが中心であり、都心部の事例も3つある。地方まで取材する時間とお金の余裕が私になかったこともあるが、都心にはコミュニティが足りないから都心でこそ第四の消費的な居場所が重要になるという理由もあるだろう。

もちろん都心とはいえ取り上げた事例は新築マンションが林立する「高層住宅地」であ

る。つまり都心だが郊外的な地域でもあるのだ。第4章を受けていえば、郊外で取材した事例ももっと紹介すべきだったが、紙幅の都合で割愛した。ただし多摩ニュータウンで私も関与した実践については別途本を出すので、そちらをお読み頂きたい。また第2章の秋田史津香さんへのインタビューが郊外における第四の消費的な価値観の広がりとそのさらなる必要性を如実に語っているであろう。

1 三鷹市 井の頭アンモナイツ

夫婦2組、赤ちゃんも一緒に小さな経済圏をつくる

夫婦2組、赤ちゃんも一緒に小さな経済圏をつくる。

瀬川翠さんは建築家。学生時代からシェアハウスをみずから10年以上運営してきた。今住んでいるのもシェアハウス。三鷹市のその家は中古で購入。天井が高く開放的。窓からの眺めも良い。インテリアはナチュラル。裸足で暮らしている。つるつるに塗ってあった床は塗料を削って無垢の木肌を出したから、肌触りが良い。

「最初はシェアハウスでコミュニティとか地域に開くとか考えていたわけではなかった」

という。だがシェアメイトの一人の女性Rさんが最初の2012年につくった武蔵境のシェアハウスでハンドメイドの小物を庭先で売り始めたら、けっこう評判が良くて、近所のおじさん、おばさんも「あなたたち、何しているの？　一緒に住んでるの？」と声をかけるようになった。当時はまだシェアハウスは社会的に認知されていなかった。若者が9人も一緒に住んでいると、なにかの宗教かと思われもする。だから、シェアハウスの場合、住人から発信していくのも地域に溶け込むひとつの方法だと気づいた。

しばらくすると、瀬川さんは結婚し、Rさんも結婚、さらに妊娠した。結婚しても子供ができても一緒に住みたいと思っていたので、もうひとつの拠点として、子育てのできるシェアハウスを新たに共同設立することにした。それが「井の頭アンモナイツ」だ。瀬川さん夫婦とRさん夫婦が共同で中古住宅を買い、リノベーションしたのだ。そしてRさんが妊娠した。

「赤ちゃんが今から本当に楽しみです。私はRさんのお姉さんみたいな存在なんだけど、赤ちゃんができると思うと自分でも信じられないくらい母性が出てきて、不思議ですね。おばあちゃんってこんな気持ちかな」と瀬川さんは言う。「アンモナイツで生まれ育った子供は、両親以外は他人なわけですが、多様な大人たちに囲まれて育つとどんな子になる

小さな子ども２人と大人たちが一緒に暮らすシェアハウス（写真　Megumi Tange）

のだろうと。あとは自分にも子どもができたら、Ｒさんの子供と相部屋にしたくて。そうしたら２人はきょうだいみたいになるかなとか考えると面白くて。」

シェアハウスに住むシェアメイトの職業は、クリエイターが多いが、普通の会社員もいる。バーテンダー兼大工兼ＤＪの男性。カメラマンが二人。うち一人はカメラマン兼管理栄養士の女性。この女性が来てからは食事のレベルが上がってしまい、瀬川さんはいっさい料理をしなくなった。食事を作ってもらったらお金を払うので、家賃が入る代わりにお金が出ていく。カメラマンには写真の仕事を発注することもあるし、そうやって家賃と仕事が交換されることも多い。

シェアハウスではシェアメイトの実家ともつながる。新潟県魚沼出身のシェアメイトは、家賃代わりに実家からシェアメイト全員分の魚沼産コシヒカリを実家から送ってもらった。「お金よりコシヒカリのほうがいいですよね！」。Rさんの実家の農作業を手伝いに行くこともある。18年の春にはシェアメイト6人で田植えに行った。

その後、2018年にはRさんの第一子が、2021年には第二子も誕生した。シェアハウスで生まれ育った子供は、想像以上にコミュニケーション能力が高く、自立している。親以外の住人ともお風呂に入れるし、留守番もできる。様々な価値観の大人に囲まれていることで、親の意見が絶対的なものではないことも幼少期から気づいているようだ。子供たちと暮らし始めて、子育て未経験の住人たちも変わり始めた。第一子誕生時には、ほとんどの住人が乳幼児の抱き方も危うげだったが、今ではオムツを替えたり、保育園のお迎えに行ったりしていて、すっかり子供のいるライフスタイルに慣れている。カメラマンの住人が子供の誕生日に撮影をするベビーフォトのビジネスを始めたりと、新たな仕事の創出にも一役買っている。

コロナが蔓延しはじめたときには、シェアハウスの共用部でマスクをつけるかどうか、住人たちで話し合った。最終的に、一般的な同居家族と同じように、帰宅時に消毒と検温を実施し、家ではコロナを気にせずに会話や食事をすることに決めた。誰かが感染したらそのときは助け合おう、それがコミュニティで暮らす意味なのだからと納得して暮らし始めると、むしろ共同生活が心強く思えてきたという。

またコロナ後は、常時数人の希望者がいた状況が一変し、一時はゼロとなった。しかし半年ほど経つと、空室への問い合わせが急激に増え始め、現在は通常通りに回復している。コロナ禍における入居希望理由のほとんどは、「リモートワークが長くなり、1人暮らしの孤独に耐えかねたため」。感染への恐怖に、コミュニティに帰属することへの欲求が勝ったという結果だ。アンモナイツでは、リモートワーク需要にあわせて建具の防音工事をしたり、近くに働く場所をつくったりと、今日も暮らしをカスタマイズしながら共同生活を続けている。

2 さいたま市浦和区　コミューンときわ

人の気配を感じられる・障害者とも共生する

浦和は、戦前には画家が集まってアトリエ村と呼ばれたこともあるが、高度経済成長期以降、「埼玉都民」と言われる東京の会社に通うサラリーマンのベッドタウンとして発展するようになり、そういう人間同士の横のつながりは次第に感じられなくなっていったという。

実際は今も、芸術、文化、あるいはスポーツなど、様々な分野で人を指導できる人がたくさんいるのだが、戦後社会独特の、個人が自分に閉じた風潮が、それらの人材を開かれた形で活用することがなかなかできない時代になった。

そういうことにつねづね疑問を持っていたのがコミューンときわをつくった船本義之さんだ（株式会社エステート常盤代表取締役）。船本さんはまた、日本の住宅、特に賃貸住宅のあり方にもずっと疑問を持っていた。1970年代には日本人は欧米から「ウサギ小屋に住む仕事中毒」と呼ばれ、住宅の貧しさを指摘されていた。

その後持ち家はそれなりに質の高いものが供給されるようになったが、賃貸住宅はまだまだだ。特に生活の質の観点から見ると、賃貸住宅の居住者は部屋にこもるだけで、隣が誰かも知らず、地域とコミュニケーションがない。これをどうにかしたいと船本さんは考えていた。

そして、JR京浜東北線・北浦和駅西口から徒歩10分ほどの、浦和区常盤10丁目にあっ

中庭では夏祭りを開き子どもたちもたくさん参加

た埼玉工業株式会社が所有していた土地に、コミュニティを生み出す賃貸住宅をつくりたいと考えた。設計も施工も地元の会社を使おうと考えた。設計会社を選ぶコンペではコミュニティのある賃貸住宅を造りたいと伝え、提案を募った。結果、中庭のある案を提案した大栄建築事務所に設計を依頼した。

だが中庭があるだけでコミュニティが作れるとは思われなかった。そこで、夏水組の坂田夏水が主催する「内装の学校」や、株式会社まめくらしの青木純が主催する「大家の学校」に通った。言うまでもなく、青木と坂田は、「ロイヤルアネックス」「青豆ハウス」などでタッグを組み、「愛ある賃貸住宅」、コミュニティのある賃貸住宅を実現してきた実績がある。船本さんは最初坂田に相談し、坂田はコミュニティをつくりたいなら青木が必須だと提案し、青木もこのプロジェクトに参画した。

住民が住んでからスムーズにコミュニティが形成されていくためには、建築的にもさまざまな仕掛けが必要だ。単身者だけ、ファミリーだけといった住民構成になるのも避けたい。

そこで間取りはワンルーム（といっても2人でも住める広さの部屋が多い）から2LDKまでとし、1階にはSOHO用の住宅も4戸つくり、店舗も1戸つくった。SOHO用の住宅は中庭側に居住スペースにつながる普通の玄関があるが、反対側は街路に面しており、透明なガラス窓が開閉でき、ガラス張りのドアもあるというつくりになっている。街路から見ると、働く人の姿が見え、興味が湧けば声をかけるという行動が自然に誘発されるだろう。

また2階以上のファミリー向けの部屋は、中庭に面した玄関ドアや窓が鉄線入りガラス張りになっており、窓も開けられるなど、人の気配を感じられるものになっている。玄関ドアを開け放てば、別のフロアの反対側の人同士、子ども同士でも声を掛け合うことができるのだ。

店舗にはすでに地域の障害者支援NPOが経営するクッキー屋さんが入居することが決まっており、健常者だけでなく、障害者とも共生するコミュニティづくりが目指されている。

中庭に面してはコミューンときわ住民だけでなく地域住民も使うことができるフリースペースがあり、教室、イベントなど、さまざまな使い方をしていく予定である。また屋上には菜園があり、住民が自分の好きな野菜などを育てることができる。

このように最初から「コミュニティ・マンション」というコンセプトを謳っているので、船本さん自身がコミューンときわに込めた思いを入居希望者に話し、それに共感してくれた人に入居してもらうという。

また北浦和駅からコミューンときわまでの商店街は、まだシャッター通りではなく、昔ながらの豆腐屋、酒屋、魚屋などが残っており、なかなか良い雰囲気だ。高度成長期には繊維関係の工場などが多く、庶民的な街だったらしい。コミューンときわの住民なら、こういう商店街ともうまくつながりながら暮らしていくだろう。

SOHOに最初に入居したのはデザイナーの直井薫子さん。浦和出身で、美大を出たあと、東京に住んで東京のデザイン会社に勤務していたが、さいたま市の広報誌のデザインをコンペで勝ち取り、ちょうど昨年からフリーになって浦和に戻ったので、その仕事を会社から引き継いだ。とても行政の広報誌とは思えない素敵なデザインであり、これなら市民もよろこんで広報誌を読むだろう。

直井さんは「住み開き」に関心があり、仕事場でもあり住居でもあり、かつ外に開かれた場所を浦和の実家の他に探していた。たまたま、さいたま市の公民連携担当者からコミューンときわというものがつくられようとしていると聞き、SOHOの住民になりたいと申し込んだのだ。さいたま市ではアートなどのイベントも最近盛んであり、それらを通じて住民同士の横のつながりも生まれているようである。そういうつながりがあったからこそ、実にタイミング良くコミューンときわに入居できたのだ。

直井さんはここで、「CHICACU Design Office & Bookstore」という事務所兼本屋を始め、「住み開き」を実践中である。さらに、2022年4月より大宮の氷川参道沿いにある市立図書館跡地にできた施設『B・i・b・l・i』でシェア本棚の運営を開始する予定である。

私は郊外研究をずっと続けてきた人間として、これからの郊外に必要なコンセプトは「クリエイティブ・サバーブ」であると考えるに至った。タワーマンションに住んで大規模ショッピングモールで買い物をしているだけの消費型の生活ではなく、住み、働き、交流し、刺激しあい、新たな生活をデザインし、生み出していく、そういう暮らしができる郊外が「クリエイティブ・サバーブ」のイメージである。コミューンときわはまさにその「クリエイティブ・サバーブ」誕生の先駆けにも見える。

3 杉並区 okatteにしおぎ

老若男女一緒に食べ、近所だけでなく実家とつながる

okatteにしおぎは、東京のJR中央線西荻窪駅から徒歩15分の住宅街に、2015年4月にオープンした、「食」をテーマとする会員制パブリックコモンスペースである。3組の住人と1組のオフィスが入居するプライベート&シェアスペース、木の香りの漂う本格的なキッチン・土間・板の間・畳のコーナーがあるコモンスペースを有する。

会員であるokatteにしおぎメンバーは月会費1000円で、コモンスペースを予約利用(有料)してイベントや食事会を開いたり、平日の夕方、皆で食事を作って食べる〝okatteアワー〟に参加したりする一方、運営管理は自分たちで担う。

また、会員の中の小商いメンバーは追加の会費を払うことで、毎月決まった時間、営業

許可のあるキッチンを専有して利用、食関係のビジネスのスタートアップの場として活用することができる。

オーナーは㈱コンヴィヴィアリテ代表取締役竹之内祥子さん。運営管理コーディネートを㈱エヌキューテンゴの齊藤志野歩さんが手がけている。

もともとここは、竹之内さんが家族と居住する住宅だったが、夫が亡くなり、子育てが終わって家族が縮小したことや、相続の問題などもあり、空いた空間をどのように活用するかという課題が浮上していた。

通常ならアパート経営を考えるところだが、竹之内さんは、地域の高齢化や、近隣のコミュニケーションの希薄さへの懸念もあり、「住み開き」など、時間と空間のシェアを行うことで、ご近所の活性化にもつなげることができないだろうかといったことを漠然と考えていた。

また、竹之内さんはこれまで30年以上にわたり、マーケティング会社を経営してきたが、今後、マスマーケティングだけではない、地域を拠点とするスモールエコノミーが隆盛していくのではないかという予測もあり、そのような社会の動きに呼応する活動をおこないたいという希望もあった。

老若男女集まって食事をすると食育的にも好ましい

こうして、街の人が共に食卓を囲む「まち食」を常に行える場、そして食関連のスモールビジネス（料理教室、ワークショップ、仕込み、ジャムづくり、東北食材ネット通販など）のスタートアップの場にもなる、快適で気持ちの上がるキッチンと食卓のあるスペースができ上がった。

入会については、ウェブやSNSを使って、説明会への参加者を募集し、そこで趣旨に賛同した人に会員になってもらっている。現在の会員数は50名余り、年齢は30代、40代を中心に20代から60代までと幅広い。女性が約8割だが、男性メンバーも活躍している。夕飯時のｏｋａｔｔｅアワーには子連れ家族での参加も多い。

これまで開かれたイベントの一例を挙げると、「おたがいさま食堂@ｏｋａｔｔｅにしおぎ」、大分県臼杵市の食への取り組みを記録したドキュメンタリー映画を上映し、臼杵の食材で作った食事を提供する『100年ごはん』上映会」、子供が作って大人にふるまう「こどもがつくる食堂」等がある。メンバーによる料理教室やワークショップも定期的に開かれている。

喫茶ランドリー（301ページ参照）と同様、家事を家の外ですることで、街の中で家事を共有できるようにし、他人同士がつながるようにしたところも面白い。

メンバーの活動は狭義の「食」以外にも広がっていると竹之内さんは実感している。手芸部や園芸部ができて、園芸部は造園家の女性を中心にｏｋａｔｔｅの庭の木の剪定をみんなでやったり、家庭菜園をつくったりしている。男性たちは男子会をつくり、バンドを始めた。

またｏｋａｔｔｅにしおぎの支店のようなものもできそうだ。あるメンバーが長野県で古民家を改造してｏｋａｔｔｅのようなものをつくり、シェアスペースをつくるというのである。彼はメディア・映像関係の仕事をしており、長野県でも仕事ができることから二拠点生活を選んだという。

メンバーの実家とのつながりができてきたのも面白い。メンバーの実家である小田原の

（果樹）農家にみかんなどをみんなで収穫に行ってジャムやケーキにしたり、群馬の田んぼでは「ｏｋａｔｔｅ米」と銘打ってお米を作り、メンバーが稲作部として農作業を手伝いに行くこともある。狩りでしとめられたイノシシの肉が送られてきたこともある。

西荻窪には庭に果樹がある家がたくさんあるが、高齢化で果実を採らない家が増えた。これをｏｋａｔｔｅにしおぎとして採らせてもらって、活用できないかとも思っているという。

ｏｋａｔｔｅにしおぎの存在意義は、「食」をハブに、地縁だけでも趣味のコミュニティだけでもない会員相互の自由でフラットな関係性の中から、ビジネス（消費）でも、ボランティア（奉仕）でもない、新たな社会価値を生み出せる関係性を醸成する場の提供だと竹之内さんは言う。逆に言えば、企業が社会価値を生み出せないかぎり、こうした「進んだ」消費者は、自分たちで動き始めてしまうということだろう。

4 下北沢　ボーナストラック

木造商店街を駅から離れたところに新しくつくる

ただ新しいものをどんどん作ってスクラップアンドビルドを繰り返すのではなく、古いものを活用する、再開発をしてどこも似たようなまちをつくるのではなく、そのまちらしい歴史や個性を大事にするのは、第四の消費社会的な価値観だ。

しかし古いものをすべて残せるわけではない。だから、古い建築などを残したいという活動をしている人に、どうやったら残せるかと質問されることが私はよくある。

古いものをすべて残せるわけではないので、新しいものをつくる場合に、古いものの良さを取り入れたものをつくるという発想も必要である。古いものを壊すときでも、いきなりブルドーザーでつぶすのではなく、まちとして建築のお葬式をする、お別れ会をするという手もある。すると、ああ、この建築はこんなにみんなに愛されていたのかということがわかり、次に同じようなことがあったら、もう少し保存や活用の方法を考えようという気持ちの人が増える。あるいは、こんなに愛されているなら壊すのはやめて、別の活用方

新築の木造商店街だが住宅地のような配置

法を考えようとオーナーが心変わりをした事例もある（谷中のＨＡＧＩＳＯ）。

また私が住宅公団の名作団地「阿佐ヶ谷住宅」で行ったように、その住宅の歴史的意義を本にまとめておくという方策もある。阿佐ヶ谷住宅は壊されたが、その後に建ったマンションも少しは阿佐ヶ谷住宅の良さを学んでいたし、次に何か新しい建築を設計する人が、阿佐ヶ谷住宅のようなものをつくるぞと決意することもある。

小田急線・下北沢駅から地上に出て世田谷代田駅側に歩いて5、6分のところに、ツバメアーキテクツ設計の木造の長屋のような商店街「ＢＯＮＵＳ ＴＲＡＣＫ（ボーナストラック）」が2020年4月開業した。「みんなで使い、みんなで育てていく新しいスペース、新しい〝まち〟」がコンセプトである。

下北沢では近年賃料が高騰していて主に大手テナント、たとえばケータイショップやタピオカ屋が増え、若く個性的なテナントが参入しづらい状況になってきていたことは周知の事実だ。個性的な商店の連なりがつくる下北沢らしい街の風景が失われていた。

そこで、BONUS TRACKを設計したツバメアーキテクツでは、再開発で街を大きく変えてしまうのではなく、下北沢らしさを維持するべく施主の小田急電鉄と協議しながらこの街区の設計を行ってきた。従来の木造密集地域の商店街の良さを取り入れ、2階建て10店舗の店を連ね、1軒当たり平均10坪15万円（5坪の店+5坪の家）という、東京の人気の街としてはかなり低家賃にした。また店を出すだけでなく2階に住める職住一致型にすることで、面白い個人店が入れるように企画されている。

また各テナントが外装を張り替えられる部分を設けたり、屋外に店をはみ出せるようにするなど、入居者が積極的に街並みに関われるように、ツバメアーキテクツがエリアマネージメントとしての内装監理業務も行っている。

さらにボーナストラックには、飲食店や物販店に加えコワーキングスペースやシェアキッチン、広場といった、この場所を訪れる人自身が、この場所のカルチャーを新たに作っていくひとりになるような仕掛けが用意されている。テナントだけで経済が閉じないように、中庭、ギャラリー、シェアラウンジでは地域や外部の人たちを巻き込んだ企画が毎週のように行われ、BONUS TRACKの外部経済を醸成することを狙っている。

設計に際しては下北沢の周辺地域をリサーチし、店舗や住宅の素材やつくり方を観察し、街の文脈に合うようにBONUS TRACKの外装を変化させたり、抑揚をつけたりした。実際、歩いてみるとわかるが、私が若い頃（四〇年ほど前）に住んでいた外階段の木造アパートのような雰囲気もあり、他方では槇文彦設計の代官山ヒルサイドテラスなどのように各棟の配置を念入りに考えた景観デザインの良さも十分に感じることができる。光と風の抜けが良く、歩いている人が一休みするベンチもあり、植樹も多数されており、従来の商店街というより、良好にデザインされたニューアーバニズムの住宅地の中にできた職住一致の街区と言ったほうが適切かもしれない。

日本中で行われている駅前再開発はタワーマンションを建てて「しゃれた」チェーン店をテナントに入れるだけの画一的なものばかりであるが、BONUS TRACKはそうした旧時代的な再開発に対する大きなアンチテーゼである。工事中の現場も完成後も見たが、下北沢らしいザワザワとした、自由で、ちょっとアナーキーな雰囲気を新しい開発の中でも取り入れていこうというものであり、とても評価できる。

またBONUS TRACKのテナントミックスの仕方についてはソーシャルデザインをテーマにしたウェブマガジン「greenz（グリーンズ）」や下北沢の書店「B&B」のメンバーらによる新会社「散歩社」がマスターリースとしてアドバイスに入るなど、小田急電鉄だけではできない新しさを追求している。

ツバメアーキテクツの山道拓人さんは言う。「駅前にピークを作る『商業施設』ではなく、駅間に人々の暮らしが根付くための『商店街』を設計するように意識を集中した」

「住宅地において兼用住宅〜街の新聞屋さんの上に住んで下で働くという形〜をとると、建物の面積の49％をある程度本業と別の用途に活用できる。それらの兼用住宅が寄せ集まり、その間の空間も塀などを作らずにシェアすれば、住宅地の中でも人々が集まり活動する空間を生みだすことができる」

しかしBONUS TRACKの開業はまさにコロナの最初の感染拡大時であった。集客施設としては最悪の出だしだ。山道さんはコロナ後の現在、「本腰を入れて、駅中心ではない開発のあり方を考えなくてはいけない。駅中心の発想だと、駅からの距離が近ければ近いほど価値が高くなり、駅直結のタワーが建つ。既存の商店街が死に、個性のない街が量産される」「だがコロナ後、地域にあるシェアスペースの意味が変わった。都心の狭い家では家族が同時に別々のオンラインミーティングを開催できないといった、これまで考えたこともなかった切実な問題が浮き彫りになった。地域住民の契約数が増え、フリーランスに加え大企業の社員のテレワーク拠点として利用されることが珍しくなくなった。私自身も晩ご飯を家族と食べる時間が増え、以前より暮らし方が豊かになった」。また、世田谷区では空き家が数万軒あるので、BONUS TRACKの事業の枠組みは近隣の空き家活動のモデルとしても位置づけられるという。「木造住宅を若者がリノベーションすると、建物も活用されるし、街並みも良くなることが実感でき、さらに、ある程度商売が成功した人が、もっと大きなところを借りるために地域外に出てしまうのではなく、地域の空き家を活用するという流れをつくれれば、空き家活用とインキュベーションの相乗効果を生める」と山道さんは考えている。

5 台東区 谷中HAGISO

街全体をホテルに見立て、日常を味わう

谷中ではこの10年ほど建築家の宮崎晃吉さんが新しい活動を次々と展開している。

まず彼は自分や仲間が学生時代以来住んできた古いアパート萩荘が取り壊されるというのでアパートの「お葬式」アートイベントとして「ハギエンナーレ」を開催した。3週間で1500人が集まり、人々がこの廊下がいいねとか、蛇口がいいねと言いあっているのを聞いたオーナーは「壊すのはもったいないかな」とつぶやいた。それを聞いた宮崎さんは早速萩荘を再建する事業計画を立てた。オーナーと出資金を出し合ってリノベーションし、自分の設計事務所、カフェ、貸しギャラリーが入ったHAGISOとして2013年に開業したのだ。さらに15年にはHAGISO近くの、やはり古いアパートをリノベーションしたホテルhanare（はなれ）をつくった。HAGISOではチェックインと宿泊者の希望に沿った街情報、店情報を提供する。朝食はHAGISOのカフェでとる。

街情報では古い日本家屋でのイベントや、尺八を自分でつくって演奏するワークショッ

プなどを紹介する。夕食には希望に合いそうな店を紹介する。ｈａｎａｒｅには風呂がないかわりに、宿泊費に近くの銭湯に入れるチケットが付いている。ただ宿泊するだけでなく、街をたくさん歩いてもらい、街の魅力、日本の魅力を体感してもらうのだ。５室だけだが開業時の稼働率は８割を超え、外国客が８割だった。

つまり、古いアパートを壊したり、建て替えたりするのではなく、リノベーションをして、それらをつなぎあわせ、街全体をホテルに見立ててシェアする仕組みを作るのである。

すっかり谷中の人気の場所になったHAGISO

こういう活動を宮崎さんは「まちやど」と呼び、一般社団法人日本まちやど協会も設立した。今は函館市や北九州市小倉の地域が参加している。

もともと宮崎さんは磯崎新アトリエで働いており、中国に巨大な建築をつくる仕事をしていた。また出身地の前橋がショッピングモールだらけになり、風景がどんどん「ファスト風土」化していることをとにも違和感を抱いていた。それなのに高度成長する中国で郊外化をどんどん進めて巨大なショッピングセンターなどをつくる仕事に疑問も感じた。中国でも古い木造の家に住み、近所の人たちとの交流を楽しんでいた。そういう暮らしが自分は好きだと思った。かつ2011年の大震災で、ボランティアに行っても建築家として特に何の役にも立てないことに落胆した。人々の日常の暮らしのために何ができるかを考え直した。こうして彼は谷中のような古い街で古い建物を改修しながら新しい意味を付与していく仕事に魅力を感じたのだった。

2017年には、古民家を改修してカフェのTAYORIをつくった。名前は「お便り」から来ている。客と、店が作るお惣菜やお弁当、沢山の食材を作っている生産者とが手紙を交わすようにつながってゆく関係をつくる場になってほしいという思いを込めたという。実際、食事が美味しかったと生産者に客が手紙を書き、それに返事が来たり、生産者の仲間が客の同級生だったことがわかったり、というまるでアニメに出てきそうなストーリーもあるという。

宮崎さんの設計事務所は今はHAGISOを出て千駄木の古いビルの中にある。面積が広いので半分をカルチャー教室「KLASS」にした。単に有名講師を呼ぶ教室への場所貸しではなく、フェイスブックとチラシで講師になりたい人を地域から募り、その人と宮崎さん側と共同で集客活動をする。

この方法で開業当初は17の講座がスタート。第2期は25講座に増えた。キッチンも付いているので料理関係の講座も可能。実際の講座の内容は料理関係の他、クロッキー、ゆかたの着方、裁縫、造形、音楽など多彩。講師の8割は女性だという。宮崎さんとしても「街に眠っているセミプロ的なタレントを呼び起こすことで、新しいネットワークができ、自分の仕事にも活かせる。主婦の潜在力はすごい。複業（主たる職業に対する副業ではなく、同じウエイトで複数の職業を持つ）をしている人も多い。その能力をキャリアアップにもつなげたい」という。

このように、単に与えられたものを消費するだけでなく、人々が能動的に生活に関与していく場所をつくりつづけたいと宮崎さんは考えている。

6 墨田区　喫茶ランドリー

都心マンション街で家事も仕事も窓ごしに見える場所

墨田区に2018年1月5日にオープンした喫茶ランドリー。その面白さは「ノールール」というところ。店内では客が単に飲食をするだけでなく、自由に行動できるようにしたのだ。みんなの迷惑になるようなことは起こらなかった。オフィススペースとしているテーブルで、ある日パンをこねていいですか？　と、子育て中のママから申し出があった。いいですよと言うと、本当にママたちが集まってパンをこね始めた。別のママは、趣味で作るアクセサリーを展示販売しはじめた。花を飾る人、レコードを販売する人もいる。パソコンを打ちに来る人、仕事の打ち合わせをする人、ひとりでぼんやり過ごす人もいる。公園でひとりでいたところ、常連ママさんが店に連れてきて、そのまま常連になった、というおじいちゃんもいる。客のアイデアで、歌声喫茶やディスコになることもある。

喫茶ランドリーのある場所は近年マンションが増えて、子育て世代が大量流入している。だが、そういう人たちが気軽に集まれる場所がない。まして子どもの食べ物を持ち込み自

親と子どもが一緒に来て過ごせる。子どもの食べ物は持ち込み可能

由で自分の好きなことができる、家事も仕事も趣味もできるなんて場所なんてありえない。それを喫茶ランドリーは実現してしまった。

ランドリーには子連れで来るママも多い。彼女たちが持ち歩いている乳幼児用の食べ物を心置きなく店で広げられるよう、食べ物は持ち込み自由だ。取材当日も3歳前後の子ども数人が店内を動き回ったり、ゲームをしたりしていた。お店を紹介する記事が出ると、その記事を切り抜いてスクラップブックに貼り付けてくれるのもお客さんだ。

スクラップ作業をしている女性に聞いてみた。「私の欲しかった場所はここだ!って感じ。以前は幼稚園が終わった子どもを連れて公園にいた。家は狭いし、やっぱり生活の場なので、家事や育児以外のことをする気分にはなれない。私は何か作業をしたり、ミシンをかけたりするのが大好きなので、ここでいろんなことをするとほんとに楽しい。毎日のようにここに来る」という。たしかに母と子どもといえば条件反射的に公園を作るというのも、おかしな話だ。

田中元子さんは言う。「ここは私の場所だ、この場所が自分の道具だとみんなに思ってもらえればいい。道具を使い倒すつもりでランドリーに来てもらえばいい」「普通は場所が個室化しちゃう。人の個性が、自分の中、家の中にいつもは隠されている。フラワーアレンジメントとかアクセサリーづくりとか、いろいろやっている人はいるが見てもらう場所がない。だけどランドリーだと自分が、個性がオープンになる。それを密室ではなく1階にあるパブリックな場で見せられれば、まちは楽しくなる」「タワーマンションの最上階にコミュニティスペースをつくることがあるけど、地面にないとね。ここは1階でガラス張りだから、街行く人からも見える。マンションだと誰からも見えない。同じことをするのでも、家の中に閉じこもっていると、誰もその仕事に気づかないし、評価も承認もしない。だがここで同じ仕事をすれば、誰かがその仕事に関心を持ってくれる。街行く人と目を合わせたり、あいさつしたりする。自分たちが街から見えているということがよろこびにつながる」

コロナ禍、最初の緊急事態宣言から喫茶ランドリーは時間を短縮し、営業を続けた。その判断には悩まされたが、決め手になったのはスタッフの一言だった。「どんなひとにも自由なくつろぎ、って書いてあるじゃない。コロナ禍も、まちにはいろんな考えで、いろんな過ごし方をする人がいるよ」。たしかに外出を控えるといっても、生活必需品の買い出しやイヌの散歩など、わけあって近所を歩く人もいる。彼・彼女らが店に来るわけではなくとも、まちにともしたひとけを消したくなかった。

結果、来客が3人という日もあった。親子連れやお年寄りには特に厳しい期間だったが、その間、面白いことも起きた。テレワークを命じられた近所の通勤者たちが喫茶ランドリーを見つけ、ノートパソコンを片手に訪れるようになったのだ。通常の通勤生活では、喫茶ランドリーが開く前に家を出て、閉店後に帰宅していたかもしれない。中にはすっかり常連となり、テレワーク期間が終わる頃には「あしたからまた通勤が始まって、来られなくなっちゃう」と喫茶ランドリーのある日常を惜しんでくれるひともいた。

コロナ禍は、さまざまなことを改めて考えさせてくれるきっかけだった。新しい生活様式やニューノーマルといった言葉が飛び交う中、人間にとって、どう生きることが自然なことか、どうすることが当たり前と言えるのか。喫茶ランドリーは敢えて、変わらずにいる、という道を歩んだ。

7 中央区新川　明祥ビル

元印刷会社のビルに誕生した「長屋」

現在の中央区は至る所にマンションが建ち、既存の住民に加えて、若い夫婦や子どもがいる世帯、あるいは1人暮らしなど、多様な人々が新規に流入してきた。15年ほど前からのCET（セントラルイースト東京）の活動が、東日本橋、馬喰町方面で古いビルを活用して新しい店舗や事務所を多く誘致したことも周知の事実だ。

そういう流れの中で、建築家の大和田栄一郎と井上湖奈美の二人組からなるSoi（ソーイ）が2017年12月に完成させた中央区新川の明祥ビルは、21世紀の長屋ともいうべき面白い試みだ。

明祥ビルは、もともと印刷会社の本社ビルで、最上階の5階に経営者の自宅があった。ビルが古くなったので、別の活用方法を考えた経営者の小森洋一氏は、大手デベロッパーに相談したが、お金がかかる割には面白いアイデアが出ないことが不満だった。

そこで相談したのがSｏｉだ。Sｏｉは、さまざまなアイデアを検討した結果、Sｏｉ自身がこのビルに事務所兼住居を移転する案を思いついた。しかしただ自分たちが移転するだけではつまらない。あと4フロアをどうするか。どうせなら、地域に開かれた拠点にしたい。千駄ヶ谷でも彼らは神社で「せんだがやタウンマーケット」を開くなど、単に建築を設計するだけでなく、地域社会との関係を設計することを自分たちの大きな役割だと考えていた。

そこで、明祥ビルでも、ビルに入居する人たちが、新川の既存住民（その多くは商店や町工場の経営者である）と新しい良い関係を築けるようなプランを考えることにした。

ビルを単に住居やシェアオフィスにするのではなく、そこに住んで働く人を中心に集めようと思った。Sｏｉ同様、都心に拠点があることは、様々な人たちにとってビジネス面でも個人的なつながりの面でもチャンスをもたらす。そういうチャンスを生かしたい人たちを借り主として入居させることにした。

そう考えると、Sｏｉの事務所兼住居にも工夫が必要だった。考えた末、事務所自体を他の4フロアの住民にオープンにすることにした。その知人、協働するクリエイターにもオープンで、レクチャーやイベントをしたりする場合は、レンタルスペースとして貸し出す。間取りをマンション風にいえば1LDKにして、「1」の部屋は二人だけのプライベートな部屋にする。しかしLDKの部分は、窓際のスペースだけを自分たちの事務所にして、ダイニング、キッチン、バス、トイレはみんなでシェアすることにしたのだ。

もちろん各フロアにトイレはある。シャワーが付いたフロアもある。しかし湯船のあるバスはここだけである。そこをみんなで使う。キッチンも住民が好きなときに料理をする。ダイニングは食事だけでなく、打ち合わせ、接客などにSoiも他の住民も使う。

屋上もみんなのために積極的に活用する。洗濯機をシェアし、バーベキューパーティなどを屋上でする。1階のカフェの一部はギャラリーのようにしつらえてあり、そこで地域との交流を促進するようなイベントを仕掛けていくつもりだ。

また毎月1回住民みんなが集まる食事会を開いている。食べ物は持ち寄りである。食事会にはオーナーも来ることがあるし、近くの老舗酒屋の今田酒店の奥さんも毎日3、4回来るほどこの場所が気に入っている。

「こういう場所が欲しかったの！」と今田さんは言う。大阪から今田酒店に嫁いできて、数十年。昔ながらの下町の雰囲気を知っている。なにしろ新川は、江戸時代以来、隅田川

住人・友人・近所の人たちが集まる

の水運を利用して酒問屋が川沿いに並んでいたのである。今も、門前仲町の富岡八幡の御輿が今も通る。そういう歴史のある町である。

だが、次第に店が減り、工場が減り、住民が減り、今は、マンションが増えて人口は増えたが、それだけじゃあつまらないと今田さんは感じていたに違いない。なんかこう、昔の賑わい、人同士のつながりが実感できるような場所がほしい。そう考えていたのだ。だから明祥ビルのリノベーションは願ったりかなったりだった。

4フロアの住民のほうであるが、これまでSoiがいろいろな機会に出会って来たデザイナーなどに声をかけることにした。かつ各部屋はスケルトンで引き渡し、住民自らがDIYなりの方法で自分の好きなように床を張ったり、壁紙を貼ったり、貼らなかったり、好きな什器を入れたりしてもらうことにした。

1階はカフェ。彼らは近くの公園を有志の住民たちとDIYで整備し、イベントを開催。イベントで出た収益をさらに街に再投資するなど、人やお店、地域をも巻き込んだ良い循環を作っている。

2階は九州の八女市の会社が経営するショップ。九州各地を中心に、衣服、座布団、クッション、食器など、地方の産品を売っているショップだ。1階と2階のショップの店長さんは住まいは別にある。

2階にはもうひと区画あり、山形から来たデザイナーの女性がここに住みながら洋服や雑貨をつくり、売っている。売っている商品は自分のデザインしたものだけ。山形ではやはりいわゆる「都会的」な商品をほしがる消費者が多く、彼女のデザインをほしがる人は少ない。だから東京で店を出したほうがよいと判断しての上京である。

3階も2区画に仕切られている。1つは2人のジュエリーデザイナーのシェアアトリエ。ジュエリー制作には火を使うので、使える場所が限られる。明祥ビルはコンクリート打ちっ放しで使っているので、その点は大丈夫だ。

4階は靴のデザイナーの工房兼住居。かなり立派なキッチンもしつらえられている。今までは渋谷に住んで板橋の工房兼教室に通っていた。また専門学校（NYCという横尾さんの学校です）で靴づくりを教えているし、他の仕事などでも都心にも頻繁に通っていた。そういう意味で工房兼ショールーム兼教室兼サロン兼住居が新川にできたのはやはりとても便利だという。

建築的な面白さでいうと2階、3階の4つの部屋は、ビルの入り口から階段を上がり（エレベーターはない）、普通の鉄のドアを開けると、廊下があって、廊下に面してガラス張りになっている。だから、ビルの中に商店が並んでいる形になっている。しかもその奥で商品を作ったり作業をしたり寝泊まりしたりしているわけだから、まさに長屋みたいなものなのである。実際、このビルを見た地元の人は、「これは長屋だね」と言ったという。

長屋や商店や中小の工場が密集していた昔の新川を地元の人々に思い出させる役割も明祥ビルは果たしているのだろう。本当の長屋などの木造の建物を残すのではなくても、現代的な長屋ができることで、新川という町の歴史と個性を受け継いでいるとも言える。

（コロナ禍により同ビルの状況も変化したが以上の原稿は2018年2月取材段階の状況である）

Ｓｏ・ｉの井上さんと2人の子供達は2022年の7月から福島県福島市に移住する。明祥ビルの取組みに共感してくれた福島市の人が施主となり、福島市に所有する建物群や土地の活用を4年かけて進めるのだが、そのうちの一プロジェクトとして、暮らしと仕事を両立できる新築住宅群（分譲）を計画している。Ｓｏ・ｉはその分譲住宅を設計する。また計画地に隣接して同施主が所有するマンションをリノベーションし、新築プロジェクトの先行モデルとしてＳｏ・ｉの家族が住みながら暮らしを公開し、そのマンションと現場も管理していく予定だ。暮らし方のモデルルームのようなイメージだという。このように第四の消費社会的な動きは、コロナ禍を経ても立体的・継続的に発展している。

8 赤坂 TOKYO LITTLE HOUSE

古い小さな店を宿屋にしたら世界から予約が入る

赤坂の繁華街の中に、２０１７年末、突如新しいスペース「ＴＯＫＹＯ ＬＩＴＴＬＥ ＨＯＵＳＥ」ができた。終戦後すぐに建てられた木造の飲食店民家をリノベーションし、1階をカフェとギャラリー、2階を1泊1組限定の中期滞在型ホテルにしたものだ。

オーナーは編集などを仕事にする深澤晃平さんと妻の杉浦貴美子さん。二人は深澤さんの祖父が戦後建てたその家の2階を10年ほど前から事務所兼住居にしていた。2階は飲食店に貸してもいいのだが、何しろ古い。こういう古い建物は東京の中で残りにくく、赤坂にはもう数軒しかない。それをあえて残しながら、新しいことができないかと考えた結果が、この店だ。2階の部屋を中心にホテルに改造した。木枠のガラス窓を通して見る景色は、歓楽街とか大都会とかいうより、戦後ずっと人が暮らしてきた場所だという歴史を感じさせる。だから「暮らすように旅をする人たちの拠点にして、たくさんの人に、東京の過去と現在が交錯するような不思議なこの感覚を味わってもらえたらいいな」と思ったのだという。

リノベーションにあたっては、もともとあった物をできるだけ残して、未来的な東京とは違う空間をつくろうとした。解体予定だった土壁も、いざ壊し始めてみると、味がある。土壁のなかから竹小舞（たけこまい。土を固定するために竹を格子状に組んである）が現れると、これは残した方がよいと考え直したりしながら、じっくり時間をかけて改修していった。

「TOKYO LITTLE HOUSE」という名前は、アメリカの絵本作家バートンの代表作『The Little House』から取った。小さな一軒家がある田舎町に建っていたが、次

古い日本の木造商店だったホテルが外国人客に人気

第にまわりが開発され、最後には大きな高層ビル群が建設され、人々が忙しそうに歩く大都会の中心になっていき、小さな家は見向きもされなくなった。ところがある日、偶然通りかかった女性の先祖の生家だったことがわかる。彼女は大工に頼んで小さな家を田舎の丘の上に移築し、小さな家は再びのどかな生活に戻ることができた、という物語。その物語に、終戦後祖父が焼け野原に買った家をなぞらえた。それを「東京版」として読み替えたのだそうだ。

ホテルの客層はほぼ外国人だという。ここに泊まらなければ1泊10万円もする高額なホテルに泊まるような人が多い。あるときは超有名な海外アーチストが予約を入れてきた。

しかしすでにその日は予約済みだったので残念なことに宿泊できなかったが、とにかくそれくらいの客層なのだ。

そういう外国人にとって、ここは「びっくりするほど評判がいい」そうだ。「つくられた日本らしさよりも、こういう普通の日常な感じの家のほうがオーセンティックだ」と言われるという。

東京の戦後すぐにできたということも生かして、ギャラリーでは米軍に占領された時代の写真や地図を壁に貼り、当時について書かれた本も置いてある。焼け跡になった東京の写真を見て、外国人は、広島や長崎が原爆にあったことは知っていたが、東京がこんな焼け野原になっていたなんて全然知らなかったと驚くという。

私は定休日に取材に伺ったが、取材している間も、ここは何ですか、カフェですかと訪ねてくる外国人客や日本人の若い女性が引きも切らない。大都会の真ん中だからこそ、こういう何気ない「しもた屋」が価値を持つのだ。

9 愛知県長久手市　ぼちぼち長屋

お年寄りが生きていてよかったと思える生活を作る

「ぼちぼち長屋」は2003年に名古屋市郊外の長久手市に開業した。そこには、とても不思議な、でもどこか懐かしい、ゆったりとした空気が流れている。

「とにかくここは気持ちがいい　やっぱりわたしはここがいい」。そうホームページに書かれている。そのとおりの雰囲気。一目見て、古民家を改造したのかと思ったが、古民家風に新築したものだという。少しずつ斜めにずれながら建っている3棟が結ばれる形になっており、その曲がったところに、なんだかほっとする。

長屋のように配置された建物の間は「ほどほど横丁」という。

「何事も『ほどほど』がいちばん。誰だって、失敗もするし、うまくいかないこともある。うれしいこともたのしいこともあるけれど、わずらわしさもあるのが当たり前。それが『暮らし』なんだから……。みんな、許しあって、支えあって、笑いながら、まぁ『ぼちぼち』とやりましょ。」とパンフレットに書かれている。

ここには、要介護高齢者とOLさんや家族が住んでいるが、建物そのものは福祉施設ではなく賃貸住宅（寄宿舎）扱い。1階に要介護の高齢者が住み、そこに社会福祉法人愛知たいようの杜ゴジカラ村のヘルパー（介護職員）が来て介護をする形になっている。

居住者は、契約時に敷金、礼金を払い、入居後は毎月の家賃を払うのも一般賃貸と同じ。住宅は社会福祉法人と別のゴジカラ村役場株式会社がオーナーから一括借り上げしているので、入居者はゴジカラ村役場株式会社に家賃を支払う。加えて食費をゴジカラ村役場株式会社に支払う。そして介護費用は愛知たいようの杜に支払うという仕組み。

家賃から介護費用を含めた総額はほぼ有料老人ホーム並み。だとすると、ぼちぼち長屋の魅力はやはり古民家風の木造、土壁の建物か。あるいはOLや家族といった他の世代が一緒に住むことか、そしてそれらが混ざり合って生まれる、独特の雰囲気にあるのだろう。

OLさんたちにとってぼちぼち長屋に住むメリットは、独身寮やシェアハウスに住む場合と同様、安心感があること。

OLさんたちの部屋には三点式ユニットバスとミニキッチンがあるが、毎朝高齢者と同じ1階のダイニングで食べる人もいる。家族の部屋にはお風呂はない。高齢者と同じ風呂に入る。高齢者は昼に入浴するし、外部のデイサービスで入浴する人も多いので、時間はかち合わない。

高齢者もその他の人たちも建物の玄関は一緒。ＯＬさんたちや家族は、１階の高齢者用のＬＤＫに当たる場所を通って２階に上がる。２階と言っても１階から吹き抜けで、壁一枚へだてただけなので、音は聞こえる（だが、個人個人のプライバシーは完全に守られている）。また、職員さんは子連れで働きに来てよいことになっている（愛知たいようの杜ゴジカラ村のどの施設でもそうである）。夏休みなどは、職員の子供たちが毎日やってくる。ＯＬさんたちや家族が高齢者と一緒にお茶をする時間もある。ＯＬさんたちと職員で新年会も開く。

生活する場を共にしているため、ＯＬさんたちなどには、大掃除を手伝ってもらうなどの交流が生まれる。

だが、誰それは掃除、誰それは何曜日の何時に手伝う、といった規則はない。手伝って欲しいときに手伝ってもらうだけ。規則を作らないのがゴジカラ村の特徴だ。自分の家にいるように、気楽に自由にしてほしいという。

「いつ起きてもいいし、いつ寝てもいいんだ。施設じゃないから、朝の体操もないし、門限もない。在宅のケアプランが日課だけど、それ以外は自由なんだ。退屈な日もあるけど、

昔ながらの家並みに見えるが新築でつくった

気楽でいい。のんびり安心して暮らすにはちょうどいいところ。外出や外泊も、面会だって、いつでもできるし、家族が泊まってもいいんだ。子供の声がいつもして、生活音が響いている。ほどほどに賑やかで、適度に不便ってところかな。だから助け合えるってことなんだって。OLさんも一緒に食事をしたり、おしゃべりに加わってくれるし、なんといってもヘルパーさんの笑顔がいいね。いろんな人がいるからうまくいかないこともあるけれど、施設は家では味わえない楽しさがあるような気がするんだ。」とパンフレットに書かれている。はあ、なんだか自由だなあ。

夜中に大声を出す高齢者もいるから、神

経質な人は向かない。人の気配があることを好み、ちょっと手伝いを頼まれたときに気軽に応じられる人であることが条件。もちろんいろいろなトラブルはある。しかしトラブルを含めて生活を楽しめることが大事だという。

愛知たいようの杜ゴジカラ村を創設したのは現・長久手市長の吉田一平氏。「日本一の福祉のまちをつくる」を旗印に施政を行っている。

ゴジカラ村のホームページにある「創設の想い」にはこう書かれている。

「私たちが住んでいる社会は、とても合理的で便利ですが、時間に間に合わせようと結果を急いで、子どもの時に持っていた〝遊ぶ〟という心を忘れてしまったのではないでしょうか。人、小さな虫、小さな草に至るまで、誕生した瞬間から、どの命にも、どの人にも存在することで価値があり、自然の中では個性豊かな役割や価値を持っています。現代の合理性の中では、必ずしもその魅力的な価値が、発揮できる場にめぐり会えるとは限りません。

愛知たいようの杜では、地球上のあらゆるものの存在、あらゆる人の訪れを大切にして、もっとゆっくりした暮らしに帰ることを目指し、その暮らしの中で、お年寄りが「生きていてよかった」と思えるような時間を一緒につくりあげることが出来たらと、考えています。この杜の暮らしを通して、自然界のとても大らかで優しい時の流れとよりそう事で、合理的で便利ではなかった時代の、人や自然とのつながりや循環の中で助けあえた、魅力をなつかしく感じ、また、新しい発見が出来るのではないでしょうか。」

またコロナ後は、「感染対策のため、ぼちぼち長屋に住む高齢者と一般入居者の交流は制限するしかなくなった。それは、場を共にすることで自然に発生するつながりを遮断することとなり、さみしい限りだ。唯一大掃除を一緒に行う程度の交流となっているが、高齢者にとって、OLさんなどと自然につながれることは、社会のつながりを残した環境として大切だと思っている」という。

10 シェア金沢

老若男女、健常者、障害者、住まい、店、オフィスが「ごちゃまぜ」になり、「施設」ではない「街」ができた

シェアを軸とする「第四の消費社会」において、まさにシェア金沢はそのシンボル的な存在だとすら言える。

シェア金沢は2014年3月に金沢市郊外にオープンした。サービス付き高齢者住宅、障害児の入所施設のほか、一般学生向けの住宅、美大生のためのアトリエ付き住宅などからなり、テナントとして、デザイン事務所、ボディケアの店、飲食店、ライブ演奏のできるバー、料理教室、売店などが入居した、ひとつの「街」である。売店、飲食店、クリーニング取次店などでは障害者や高齢者が店員や仕入担当として働き、本館の中でも障害のある子供がお菓子箱づくりなどの仕事をする機会をつくっている。

学生や美大生は相場より安い家賃で住めるかわりに、障害者や高齢者のために月30時間ほど働く。ある美大生の女性の場合、やる気満々でみんなのお世話をしようと入居したが、実際はみんなからおかずをもらったりして、世話をされるほうだという。

また、シェア金沢の隣の地域は新興住宅地で子供が増え、小学校が困っていたが、シェア金沢にある障害児のためのフットサル場をその小学校が無料で使えるようにしている。

「ごちゃまぜがいい」がコンセプトであり、老若男女も、健常者も障害者も、住まいも店も、シェア金沢の中の人も外の人も混ざり合ってシェアをする。縦割りではなく横のつながり、お互いに時間、空間、できることをシェアしあえるようにつくられているのである。それは「施設」ではなく、「街」である。

シェア金沢の設計は有名なアレグザンダーの理論を使い人間的な場所づくりを目指した

シェア金沢のデザインはアメリカの建築家、クリストファー・アレグザンダーの有名な著書『パタン・ランゲージ』を参考にしている。ごちゃまぜの街をつくる上では『パタン・ランゲージ』が参考になったのです。仕事をしている人がガラス越しに見えるとか、駐車場が見えないとか、療養所時代からある巨大な椎の木を聖域に見立てるとか、動物（アルパカ）が居るとか、デザイン事務所とボディケアの店がつながっていて半私的になっているとか、そもそも老人と若者が一緒にいるとか、いたるところを『パタン・ランゲージ』から学んだのだ。

電柱は地中化し、高い建物はないし、

軒も低い。高齢者にとっては縦に伸びる建築は圧迫感があるからだ。外部の人のための駐車場は敷地のいちばん外縁部に設け、内部には経営主体の佛子園の自動車しか入れない。そのかわり、歩行者は近くの住宅地の人たちも入って来られる。

また、住居と住居の間にはくねった小道をもうけてあるし、療養所時代からの樹木がかなり残っているので、自然を見ながら楽しく歩ける。でも、小道はわざと狭くしてある。障害者と一般の人が少しずつお互いによけながら歩くことで、両者が少しでも意識し合い、認め合えるきっかけをつくるためである。超高齢社会が進むこれから、また若者にあまりお金がない状況が定着した今、シェア金沢はまさに障害者と高齢者と若者が支え合う第四の消費社会的な場所であると言える。

あとがき

現代日本の最高の社会学者と呼ばれる見田宗介の『定本見田宗介著作集』（岩波書店）の第1回配本は第六巻「生と死と愛と孤独の社会学」である。代表作「まなざしの地獄」をはじめとした論文が収録されている。マルクスから歌謡曲までを縦横無尽に論じてきた見田さんであるが、その根底には常に「生と死と愛と孤独」というテーマがあったのであろう。またそこには「自由」というテーマも絡む。

誠に恐れ多いが、私のこの新書も期せずして「生と死と愛と孤独」と「自由」について考えたことになるのではないか。最初は『第四の消費』の増補改訂版を出すだけの予定であったが、三上剛史氏の『社会学的ディアボリズム』という示唆的な本に遭遇したこともあり、人々のつながりを考えると、人々の分断も考えることになった。またメタバース産業の創出が急激に叫ばれ始め、一般社団法人メタバース推進協議会が3月に設立されるとなると、新しい時代の「生と死と愛と孤独」と「自由」はどんなものかについても、ますます考えることになった。

コロナ禍のために孤独を感じる人が増え、女性や未成年の自殺も増えた。コロナ前から、シングルマザー、児童虐待、貧困、格差、拡大自殺、ＬＧＢＴ、独居老人など、「生と死と愛と孤独」と「自由」あるいは「自己責任」の問題はこの20年ほどの間の日本社会でずっと拡大し続けてきたと言える。そうした観点からもメタバース的な未来は、今後もっと考えるべき興味深いテーマであると言えるだろう。

ここまで書いたところで見田さんの訃報に接した。ただ合掌するのみである。

本書の執筆は少し手間取った。第4章のアンケートの分析軸がなかなか見つからず、2ヶ月近く悶々とした。下書きは2月末に書いたが、そのあとはまるで油絵を描くように、毎日少しずつ思いついたことを書き加え、また別の箇所を書き直したり削ったりしていた。特に第3章はそのようにしてできた（いやまだできていないかもしれない）。久しぶりに現代文化論的・若者論的なものを考えて、自分としてはちょっと面白かった。途中で専門研究者からガールズバー店員までのいろいろな世代の男女の意見を聞きながら書いたのも最近の私としては珍しく、とてもためになった。協力してくださったみなさん、ありがとうございました。

また今回はイラストレーターの凪さんの作品を帯に大きく使った。実は本書の大きなテーマである孤独は、凪さんがJR東日本のスキー場GALA湯沢のために描いたイラストから着想したのである。凪さんを調べたらヒゲダンのミュージックビデオにも描かれていることを知り、それでヒゲダンを初めて聴いて「プリテンダー」にはまったことが第三章の分析となっている。その意味で凪さんは私にとって「運命の人」である。イメージ通りの作品を描いて頂き、ありがとうございました。

2022年4月10日

著　者

三浦　展 みうら・あつし
1958年生まれ。82年一橋大学社会学部卒、パルコ入社。86年マーケティング情報誌『アクロス』編集長となる。90年三菱総合研究所入社。99年カルチャースタディーズ研究所設立。世代、家族、消費、都市問題等の研究を踏まえ、新しい社会デザインを提案している。著書に『第四の消費』『「家族」と「幸福」の戦後史』『ファスト風土化する日本』『首都圏大予測』『これからの日本のために「シェア」の話をしよう』『下流社会』など多数。

朝日新書
869
永続孤独社会
分断か、つながりか？

2022年6月30日第1刷発行

著者　三浦　展

発行者　三宮博信
カバーデザイン　アンスガー・フォルマー　田嶋佳子
印刷所　凸版印刷株式会社
発行所　朝日新聞出版
〒104-8011　東京都中央区築地5-3-2
電話　03-5541-8832（編集）
　　　03-5540-7793（販売）

Published in Japan by Asahi Shimbun Publications Inc.
ISBN 978-4-02-295175-5
定価はカバーに表示してあります。
落丁・乱丁の場合は弊社業務部（電話03-5540-7800）へご連絡ください。
送料弊社負担にてお取り替えいたします。

日本音楽著作権協会（出）許諾　第2203632-201号

朝日新書

ルポ 大谷翔平
日本メディアが知らない「リアル二刀流」の真実

志村朋哉

2021年メジャーリーグMVPのエンゼルス・大谷翔平。米国のファンやメディア、チームメートは「リアル二刀流」をどう捉えているのか。現地メディアだけが報じた一面とは。大谷の番記者経験もある著者が日本ではなかなか伝わらない、その実像に迫る。

自衛隊メンタル教官が教える イライラ・怒りをとる技術

下園壮太

自粛警察やマスク警察など、コロナ禍で強まる「1億総イライラ社会」。怒りやイライラの根底には「疲労」がある。怒りは自分を守ろうとする強力な働きだが、怒りの暴発で人生を棒に振ることもある。怒りのメカニズムを正しく知り、うまくコントロールする実践的方法を解説。

画聖 雪舟の素顔
天橋立図に隠された謎

島尾 新

画聖・雪舟が描いた傑作「天橋立図」は単なる風景画なのか？ 地形を含めた詳細すぎる位置情報、明らかに歪められた距離、上空からしか見ることのできない構図……。前代未聞の水墨画を描いた雪舟の生涯を辿りながら、「天橋立図」に隠された謎に迫る。

江戸の組織人
現代企業も官僚機構も、すべて徳川幕府から始まった！

山本博文

武士も巨大機構の歯車の一つに過ぎなかった！ 幕府の組織は現代官僚制にも匹敵する高度に発達したものだった。「家格」「上司」「抜擢」「出張」「横領」「利権」「賄賂」「機密」「治安」「告発」「いじめ」から歴史を読み解く、現代人必読の書。

官僚が学んだ究極の組織内サバイバル術

久保田 崇

大人の事情うずまく霞が関で官僚として奮闘してきた著者が、組織内での立ち居振る舞いに悩むビジネスパーソンに向けておくる最強の仕事術。上司、部下、やっかいな取引先に苦しむすべての人へ。人を動かし、自分の目的を実現するための方法論とは。

インテリジェンス都市・江戸
江戸幕府の政治と情報システム

藤田 覚

インテリジェンスを制する者が国を治める。徳川260年の泰平も崩壊も極秘情報をめぐる暗闘の成れの果て。将軍直属の密偵・御庭番、天皇を見張る横目、実は経済スパイだった同心——近世政治史の泰斗が貴重な「隠密報告書」から幕府情報戦略の実相を解き明かす。

ふんどしニッポン
下着をめぐる魂の風俗史

井上章一

男の急所を包む大事な布の話——明治になって服装は西欧化したのにズボンの中は古きニッポンのまま。西洋文明を大和心で咀嚼する和魂洋才は見えないところで深みを増し三島由紀夫に至った。『パンツが見える。』に続き、近代男子下着を多くの図版で論考する。

日本的「勤勉」のワナ
まじめに働いてもなぜ報われないのか

柴田昌治

「主要先進国の平均年収ランキングで22位」が、日本の現実だ。従来のやり方では報われないことが明白になった今、生産性を上げるために何をどう変えればいいのか？ 「勤勉」が停滞の原因となった背景を明らかにしながら、日本人を幸せにする働き方を提示する。

朝日新書

歴史の予兆を読む

池上 彰
保阪正康

ロシアのウクライナ侵攻は、第3次世界大戦となるのか？ 日本の運命は？ 歴史にすべての答えがある！ 戦争、格差、天皇、気候変動、危機下の指導者——。日本を代表する二人のジャーナリストが厳正に読み解く「時代の潮目」。過去と未来を結ぶ熱論！

外国人差別の現場

安田浩一
安田菜津紀

病死、餓死、自殺……入管での過酷な実態。ネット上にあふれる差別・偏見・陰謀。日本は、外国人を社会の一員として認識したことがあったのか——。「合法」として追い詰め、「犯罪者扱い」してきた外国人政策の歴史。無知と無理解がもたらすヘイトの現状に迫る。

いのちの科学の最前線
生きていることの不思議に挑む

チーム・パスカル

目覚ましい進化を続ける日本のいのちの科学。免疫学、腸内微生物、性染色体、細胞死、遺伝子疾患、粘菌の生態、タンパク質構造、免疫機構、遺伝性制御から「こころの働き」まで、最先端の研究現場で生き物の不思議を究める10人の博士の驚くべき成果に迫る。

永続孤独社会
分断か、つながりか

三浦 展

仕事や恋人で心が満たされないのはなぜか？「つながり」と「分断」から読み解く愛と孤独の社会文化論。人生に夢や希望をもてなくなった若者。コロナ禍があぶり出した格差のリアル。『第四の消費』から10年の検証を経て見えてきた現代の価値観とは。